JOHN PREIS

gan

GERAINT JONES

Gwasg Utgorn Cymru

Trydydd argraffiad – Awst 2014

Rhif llyfr cydwladol (ISBN) 978-0-9563229-7-5

Cyhoeddwyd gan Wasg Utgorn Cymru,
Canolfan Hanes Uwchgwyrfai,
Clynnog Fawr, Gwynedd LL54 5BT
Ffôn: 01286 660853/655/546
e-bost: hanes.uwchgwyrfai@gmail.com

neReus

Dyluniwyd, cysodwyd a chomisiynwyd gan NEREUS,
Tanyfron, 105 Stryd Fawr, Y Bala, Gwynedd, LL23 7AE.
e-bost: dylannereus@btinternet.com

Argraffwyd a rhwymwyd gan Argraffwyr Cambrian,
Llanbadarn Fawr, Aberystwyth, Ceredigion, SY23 3TN

Llun y clawr: John Preis yn ardal Boduan
Llun gan Mari Jones, Pwllheli

John Preis

"Ia, un fel'na oedd o. Un ai roedd o'n wahanol neu mae'r gweddill ohonon ni i gyd 'run fath ... nid yr elfan tramp a'r ysfa grwydro sy'n gneud John Preis, o Gapal Ucha Clynnog, mor wahanol. Roedd 'na betha erill – roedd o'n wahanol i edrach arno fo, 'ran pryd a gwedd; roedd o'n gwisgo'n wahanol; roedd ei iaith neu'i eirfa fo'n wahanol, a'i agwedd o tuag at bobol a phetha'n wahanol, siŵr gin i. Mewn gair, ei ymwareddiad o sy'n gneud John yn gofiadwy.

Dyn bychan, sionc, yn mynd yn fân ac yn fuan a'i ben o'i flaen, a'i lygad o'n deud ei fod o'n cael ei gorddi. Top-côt soldiar amdano fo a chap ysgol gwyrdd am 'i ben o. Hen ffaga am 'i draed o yn tywydd mawr a sgidia cryfion am 'i draed o yn ystod gwres mawr yr ha. Chlywis i rioed ei fod yn or-hoff o molchi, ond eto byddai'i wynab o'n sgleinio fel petai o newydd ei sgwrio efo sebon coch. Blaen 'i drwyn o'n goch fel radish bob amsar, ac un dant pig yn amlwg yn nhop 'i geg o ar y chwith wrth i chi'i wynebu o."

Wil Sam: *Mân Bethau Hwylus*
(Gwasg Gwynedd 2005)

Cerdded yr ydwyf o dan bwn
Cnawd ac esgyrn y corffyn hwn.

Symudwn beth eto, siawns, yn gytûn,
Y tipyn pac a myfi fy hun.

Ond pan deflir y baich oddi arnaf i,
Ni bydd dim ar ôl ond lle buom ni.

T. H. Parry-Williams

DIOLCH

Dymuna'r awdur ddiolch i'r canlynol am eu cymorth a'u cydweithrediad: yn bennaf i Marian Elias Roberts, Ysgrifennydd Canolfan Hanes Uwchgwyrfai am lunio rhagair i'r gyfrol, am bob cymorth yn cywain mynydd o fân hanesion am John Preis a lluniau ohono, ynghyd â map o'r ardal, am drawsgrifio'r sgyrsiau geir ar ei thapiau hi ei hun a thapiau Sain Ffagan, ac am gael defnyddio cynnwys rhai o'i recordiadau hi o John a'i gyfeillion; i Dawi Griffiths, Cadeirydd y Ganolfan am y broliant ar y cefn, am 'garthu' a 'golchi' peth o'r testun ac am lawer o'i gymorth arferol; i bawb gyfrannodd storïau a gwybodaeth am wrthrych y gyfrol. Maent yn llawer rhy niferus i'w henwi oddigerth yn achlysurol yng nghorff y testun; i bawb roddodd fenthyg lluniau i'w cyhoeddi. Cydnabyddir hynny dan bob llun posib; i Robin Gwyndaf ac Amgueddfa Werin Cymru, Sain Ffagan, am yr hawl i ddyfynnu'n helaeth o sgyrsiau a recordiwyd ym 1977 ym Mron-y-garth, Minffordd, rhyngddo ef a John Preis (tapiau AWC 5235-37), a thâp o sgwrs a recordiwyd flynyddau ynghynt yng Ngarej y Crown, Llanystumdwy, rhwng W. S. Jones (Wil Sam) a John Preis (tâp AWC 3566); i Dora Jones, Tyddyn Gwyn, Rhos-lan, am ganiatâd i gyhoeddi darnau o'r sgwrs uchod (AWC 3566); i Robin Gruffudd, Cyhoeddiadau Daron, am ddyfynnu ambell bwt o'i raglen ddogfen fer ar John Preis; i Sophia Parri-Jones, Melin Faesog, am rai ffeithiau am achau John Preis; i'r nifer fawr o danysgrifwyr ymlaen llaw ddangosodd bob ffydd yn y Wasg, yr awdur, a'r fenter; i Wasg Utgorn Cymru, Clynnog Fawr, am fentro cyhoeddi'r gyfrol a phenderfynu gwneud hynny heb gymhorthdal ariannol unrhyw lywodraeth; i Dylan N. Jones, Cwmni Nereus, Y Bala, am ddylunio'r gyfrol a'i chlawr yn grefftus a diffwdan; i Argraffwyr Cambrian, Llanbadarn Fawr, am eu gwaith argraffu cymen a graenus.

drosodd ...

Diolchaf hefyd i Gyngor Llyfrau Cymru am gynnig cymhorthdal tuag at gyhoeddi'r llyfr hwn, hynny'n dilyn cais gan Wasg Utgorn Cymru amdano. Yn dilyn ystyriaeth ddwys, penderfynwyd peidio â derbyn y grant, nid mewn unrhyw ysbryd o anniolchgarwch, ond yn hytrach mewn ymdrech i geisio profi bod modd cyhoeddi llyfr Cymraeg heb gymhorthdal, ac eto heb wneud colled. Do'n wir, hyd yn oed yn y dyddiau dreng presennol, llwyddodd y llyfr hwn i wneud elw gan brofi nad gwir, bob amser, honiad y bardd Sarnicol yn ei feddargraff i'r Cyhoeddwr Llyfrau:

> Cyhoeddodd lyfr Cymraeg – fe glybu toc
> Ei fod yn talu, a bu farw o sioc.

Mae Gwasg Utgorn Cymru a'r awdur, hyd yma, yn dal yn fyw!

Geraint Jones
2014

Rhagair

Pan gyhoeddodd rhai o'r papurau bro lythyr Canolfan Hanes Uwchgwyrfai yn sôn am y bwriad i ysgrifennu llyfr am yr enwog grwydryn John Preis, gan wahodd hanesion amdano, aeth cloch y teleffon yn eiriasboeth, derbyniwyd llythyrau o bell ac agos a galwodd rhai heibio i'r swyddfa i adrodd eu profiadau.

Rhwng y rhain a'r llu hanesion lliwgar oedd gennym ni, drigolion ei hen gynefin – Capel Uchaf a Chlynnog yn fwyaf arbennig – ceir cip ar hen rebel hollol wreiddiol a hollol wahanol i bob bod dynol arall ym mhob dull a modd. Sut y llwyddodd i fyw ar y gwynt, cerdded a gwlychu'n domen ym mhob tywydd, cysgu mewn ysguboriau a beudái a theisi gwair, drewi fel buria, a chael byw i fod yn 91 oed, sydd yn fwy na'r saith rhyfeddod. Gallai fod yn un hynod anniolchgar a deilliodd trafferthion lu o'i syniad ef o hwyl pan na châi ei ffordd ei hun. Maddeuid iddo, er hynny, ac roedd ganddo ei bobl i ofalu amdano, yn un teulu mawr, o Gaergybi i Lerpwl a'r Gororau a gwahanol rannau o Gymru. A phan fyddai yn ei lawn hwyliau byddai'n fodd i fyw i bawb o'i gydnabod.

Pwythwyd yr hanesion amdano yn hynod gelfydd gan wir lenor a wir fwynhaodd y dasg hon gan fod y gwrthrych wedi ei gyfareddu. A rhwng y cynnwys a'r mynegiant rhwydd mae yma em o lyfr – un gwahanol. Mwynhewch ei ddarllen.

Marian Elias Roberts,
Canolfan Hanes Uwchgwyrfai,
Clynnog Fawr.

Y BLYNYDDOEDD CYNNAR

Yng Nghlynnog Fawr yn Arfon mae hanes yn hen, hen iawn. Ac mae arogl yr hen, hen hanes hwnnw wedi treiddio i bob cwr o'r plwyf. Go brin, mewn gwirionedd, bod yna unrhyw blwyf yng Nghymru benbaladr all gystadlu â hwn, yng ngolud dihysbydd ei hanes, cyfoeth ei draddodiad di-dor, a dyfalbarhad ei werin ddirodres, gwydn, a gwrol. "Mae yno flas y cynfyd yn aros fel hen win", a hwnnw'n ymestyn yn ôl i niwloedd cyfrin Oes y Seintiau a chynt.

Gallwn oedi uwch cromlechi dihenydd Bachwen, Cae'r Beudy Coch a Chae'r Goetan. Yna troedio'n hamddenol trwy'r canrifoedd cyn geni Crist, i Benygarreg, cwta led cae o'r Capel Ucha, lle gwelir olion hen gaer o Oes yr Haearn. Ceir sôn am yr ardal hon yng Nghanu Aneirin, bardd o'r chweched ganrif, ac am Dal Hen Bann (Henbant Mawr).

Gwlad ydyw sy'n goferu o ramant y Mabinogi, a'r cyfan, mwy neu lai, yn weladwy o ffriddoedd a mawnogydd pen ucha'r plwyf – Maenor Bennardd, Bryn Gwydion, Maen Dylan, Lleuar, Dinas Dinlle, Caer Arianrhod a Chefn Clun Tyno. Ac onid yng Nghlynnog y lladdwyd Elidyr Mwynfawr o'r Hen Ogledd gan wŷr Arfon yn aber afon Meweddus? Mae'r hanes yn drwm gan henaint.

Yr hen grefydd

Ac yna'r enwocaf o'i meibion, Beuno Sant, llawfeddyg rhyfeddol allai, heb na nodwydd nac edau, ailgysylltu'n llwyddiannus bennau a dorrwyd ymaith, a dychwelyd anadl einioes i esgyrn sychion lladdedigion fyrdd. Hwn yw'r gŵr a sefydlodd Glynnog, a'i wneud yn fawr, yn wirioneddol Fawr, gyda'i glas a'i eglwys a'i ysbryd cenhadol, anturus. Hyn oll bymtheg canrif a rhagor yn ôl. Gadawodd waddol cyfoethog yn llan a chapel, yn fedd a ffynnon, yn chwedlau am adar ac am eirch. A daeth crefydd yn hanfod bywyd y fro.

Milflwydd yn ddiweddarach, a Phabyddiaeth yn clafychu bron hyd angau dan ormes yn y Gymru Brotestannaidd, daeth y gwrol Forys Clynnog yn Esgob Bangor (1558), gan lynu'n ddi-ildio wrth grefydd yr Hen Fam. Ffoi i Rufain rhag llid gelynion fu ei rawd, a dod yn bennaeth coleg pwysig yno. Flwyddyn yn ddiweddarach carcharwyd Profost Eglwys Clynnog, y cerddor amryddawn, Siôn Gwynedd, eto, fel Morys, oherwydd ei Babyddiaeth ddi-wyro. Daeth Maesog yn un o gadarnleoedd crefydd Rhufain a'r hen Gymru. Ym 1598 aethpwyd ag un o ferthyron dewraf Pabyddiaeth Gymreig, y Bendigaid John Jones o Glynnog, i'r crogbren.

Ein Tywysogion

Rai canrifoedd ynghynt, cyn y gwrthdaro crefyddol mawr, bu cynyrfiadau o fath gwahanol yn siglo llethrau'r hen gwmwd. Ym 1075 mentrodd y Gruffudd ap Cynan ifanc, gyda byddin fechan o filwyr, dros y môr o Iwerddon draw i hawlio teyrnas Gwynedd. Colli fu ei hanes ar y cyrch cyntaf hwnnw, a hynny mewn brwydr â Thrahaearn ap Caradog ym Mron yr Erw uwchben Clynnog, yn ucheldir cwmwd mawr Uwchgwyrfai. Er cilio'n ei ôl i Iwerddon i lyfu'i glwyfau, dychwelodd eilwaith ym 1081, trechu ei wrthwynebwyr y tro hwn a sefydlu brenhinllin anrhydeddus yng Ngwynedd a barodd hyd gwymp Llywelyn ein Llyw Olaf a Dafydd ei frawd ym 1282-83.

Yma hefyd, ar y ffin â chwmwd Eifionydd, yr ymladdwyd Brwydr Bryn Derwin pan drechodd Y Llyw Olaf ei frodyr, Owain Goch a Dafydd ap Gruffudd, i'w sefydlu ei hun maes o law yn Dywysog Cymru ac Arglwydd Eryri. Ie, yng nghyffiniau Clynnog Fawr yn Arfon y gwelwyd felly ymladd dwy o frwydrau mwyaf allweddol oes aur y Tywysogion ac a fu'n foddion i wneud 'cadernid Gwynedd' yn gadernid o'r iawn ryw, a daethpwyd i ystyried y cadernid hwnnw'n rhywbeth real a gweladwy. Fe'i cenhedlwyd yn ucheldir Clynnog Fawr yn Arfon.

Ymneilltuaeth

Gyda dyfodiad Protestaniaeth a Phiwritaniaeth ac Ymneilltuaeth i Gymru ac i Glynnog, cafwyd cyfoeth newydd, gwahanol ei natur. Yn y ddeunawfed ganrif cadwyd rhai o ysgolion cylchynol yr arloeswr mawr, Griffith Jones, Llanddowror, yn y plwy. Dyma hefyd gyfnod y tyrru mawr i eglwys Clynnog, gyda phregethu efengylaidd tanbaid ei ficer, Richard Nanney, Elernion, yn denu tyrfaoedd mawrion i wrando arno.

Ym mlynyddoedd ola'r ddeunawfed ganrif bu gweinidog tanllyd y Capel Uchaf, Robert Roberts, 'Y Seraff o Glynnog' fel y'i gelwid, yn llorio cynulleidfaoedd gyda'i bregethu darluniadol nerthol, y math pregethu a'i effeithiau nas gwelwyd yn y fro hon na chynt na chwedyn.

Canolfan Hanes

Hanner canrif yn ddiweddarach, Eben Fardd oedd eilun yr ardal, yn fardd o fri cenedlaethol, yn athro ymroddedig yn y pentref ac yn athrylith at iws gwlad. Flwyddyn ei farw, ym 1863, sefydlwyd Coleg Rhagbaratoawl enwad y Methodistiaid Calfinaidd yng Nghlynnog, a bu'n agored tan 1929, pryd y'i hunwyd â Choleg Clwyd yn Y Rhyl, a'i symud i'r fan honno.

Bellach, Canolfan Hanes Uwchgwyrfai sy'n llenwi'r adeilad hwnnw. Fe'i sefydlwyd yn 2006 yn oriau duon ein hen, hen genedl, blynyddoedd y locust yng Nghymru. Ymgais ydyw i greu pwerdy diwylliannol a gwleidyddol, a hynny trwy gyfrwng y Gymraeg yn unig, 'does ots beth ddywed Ewrop, Llundain na Chaerdydd. Y Ganolfan hon a'i gwasg, *Gwasg Utgorn Cymru*, sy'n gyfrifol am gyhoeddi'r llyfr hwn am hanes un o fuchedd pur wahanol i fuchedd enwogion confensiynol pob oes – gwahanol iawn – ond sydd, mewn ffordd ryfeddol ddigon, yn ŵr pur deilwng o'i dras, yn etifedd maeth hen weundiroedd y mawn a thanbeidrwydd lliwiau cloddiau eithin ucheldir y plwyf.

Dyma'r fro, felly, y ganwyd John Price iddi. Dyma'r fro y'i magwyd ynddi. A dyma'r fro y daeth yntau, maes o law, megis Elidyr Mwynfawr, Beuno Sant ac Eben Fardd, ie, a Dic Moto Coch a Jogo Tan-bwlch a Nan

Tan-clawdd hwythau, yn rhan annatod o gárnifal brith ei mabinogi rhyfeddol.

Capel Ucha Clynnog

Cymdeithas werinol, gymdogol ac uniaith Gymraeg geid yn ucheldir hen blwyf Clynnog, yr ardal honno y gwyddom amdani fel Capel Ucha Clynnog. Yno ceid teuluoedd o dras gynhenid, a'u gorffennol yn y fro yn ymestyn yn ôl ganrifoedd, pobl wydn a charedig, pobl a wybu dlodi, afiechyd, gorthrwm, a gerwinder gaeafau celyd, pobl oedd â'u gwreiddiau'n ddwfn yng nghartre'r drain ac yn naear garegog eu bro.

O grwydro i fyny'r gelltydd dros fynydd Bwlch Mawr a hen derfynau plwyf a chwmwd, gwelir y Mynachdy Gwyn oddi tanom ac eangderau Arfon ac Eifionydd yn ymagor tuag at Ardudwy a Cheredigion dros y bae. Ond mae'r golygfeydd gwir ysblennydd, fodd bynnag, i'w gweld tua'r gorllewin a'r gogledd, dros bentrefi Aberdesach, Clynnog a'r Gurn Goch. Triban gosgeiddig yr Eifl yn golchi'u traed yn yr heli, Tre'r Ceiri hynafol, Dinas Dinlle, Y Foryd ac Abermenai, Ynys Llanddwyn, Ynys Cybi ac Ynys Môn. Ac ym mhen draw'r cwmwd Fynydd y Cilgwyn yn flaentroed holl ysblander cribau Eryri.

Cipir anadl dyn. Ym mhob twll a chornel mae yno arogl hen, hen hanes. Ond, y tu allan i'r dychymyg ac mewn ambell weddill hwnt ac yma, 'dyw'r cyfan bellach namyn cof am a fu ac am oes nas gellir, ysywaeth, ond hiraethu amdani a hynny mewn gwlad a feddiennir fwyfwy gan estron. Gwlad lle ffynnai cymdogaeth dda a chydymdeimlad, gwlad codi'r glicied a hel straeon ac achau, gwlad chwedl a chân, gwlad Cymreigrwydd cynhenid naturiol a blas y pridd yn drwm arno, cymdeithas oesol ddigyfnewid a sugnai ei maeth o hen, hen wreiddiau gwâr.

John Preis

Nid bod John Preis yn ymwybodol o hanes a diwylliant cyfoethog ei fro, serch bod y cyfan yno o'i gwmpas, yn rhan o'i brifiant, yno ym mhridd a mawn a chreigiau'r lle. A daeth yntau, er ei waethaf mae'n debyg, i gyfoethogi'r hanes hwnnw mewn dull a modd i'w ryfeddu ato. A chaf y teimlad, rhywsut, y byddai Eben, a Beuno yntau, wrth eu bodd, ac ar eu hennill, yng nghwmni John, ac yn ei arddel, fel ninnau, yn 'un ohonan ni'.

Y Teulu

Ganwyd John Preis (Price yn swyddogol) ym 1894, yn bedwerydd plentyn i Richard Price (1845-1924) ac Elizabeth Price (1856-1918), Tyddynygarreg, Capel Ucha, Clynnog.

Hanai'r tad o deulu Tyddyn Madyn, a'i achau'n ymestyn yn ôl i hen felinydd enwog Melin Faesog, Robert Price, a'i briod Catrin Meurig. Fe'u priodwyd hwy ym 1741. Fe'u claddwyd yng Nghlynnog. Taid a nain Catrin Meurig oedd Barnabas Thomas a Mary Griffith a briodwyd ym 1694.

Un o deulu Hafod-y-rhiw, uwchlaw Brysgyni, oedd Elizabeth, mam John Preis, ac fe'i hadwaenid gan bawb fel Leusa Tyddyngarrag, ei thaid a'i nain, John a Jane Roberts, wedi eu geni yn nawdegau'r ddeunawfed ganrif.

Ganwyd i Richard ac Elizabeth Price bedwar o blant, ond roedd yna hefyd bumed plentyn, plentyn hŷn, Margaret Jones, a anwyd i Leusa rhyw chwe blynedd cyn iddi briodi, hynny ar yr ail o Dachwedd, 1877. Beth fu hynt a helynt Margaret, 'dwn i ddim. Plentyn hyna'r briodas oedd Annie, a anwyd ym 1884. Bu hi'n athrawes ysgol ac yn byw yng Nghlwt-y-bont ger Deiniolen. Bu farw yn y 1960au.

Ganwyd yr ail blentyn, Jane, ym 1886, ond bu farw'n bymtheg oed ar yr wythfed o Chwefror, 1901, pan oedd John Preis yn chwech oed.

O'r diwedd, ym 1889, ganwyd bachgen yn Nhyddynygarreg, a rhoddwyd enw'i dad, Richard, arno. Wedi tyfu ohono'n ddyn, fe ymfudodd hwn i Ganada, i dalaith British Columbia, ac yno, yn Vancouver, y bu farw'n lled ieuanc. A dyna egluro, mae'n debyg, pam y byddai John yn cyfeirio at farwolaeth rhywun fel *wedi mynd i'r hen Fritish Columbia 'na*. Ychydig iawn wyddon ni am Dic Preis druan.

John

Cyw bach y nyth, felly, oedd gwrthrych y llyfr hwn, y dyn ei hun, John Price, a anwyd ym 1894, fel y tri arall yn Nhyddynygarreg. Hyd y gwyddom, roedd yn blentyn holliach, yn stwcyn cryf a gwydn ac yn heriol ei edrychiad a cheid cryn dipyn o gochni yn ei wallt. Mae'n ddiddorol sylwi mai un o hil Tyddyn Madyn ydoedd ar ochr ei dad. Enw arall yw 'madyn', wrth gwrs, am lwynog neu gadno, anifail sy'n enwog am ei 'flewyn cringoch' a'i gyfrwystra. Mae'n ffitio John Preis i'r blewyn, a gallwn hefyd sylwi ar addasrwydd cwpled yr hen fardd:

> Cnafaidd Ddedwydd yn cneifio,
> Cynffonwyn fadyn yw fo.

Ie, John Preis i'r dim! Gallai fod yn gnaf ac yn gadno!

Yn Nhyddynygarreg

Ychydig iawn a wyddon ni am ei blentyndod. Cafodd ei fagu'n annwyl ddigon, fel gweddill y teulu, ar aelwyd werinol ac uniaith Tyddynygarreg, yn mynychu ysgol Sul Capel Uchaf, ac efallai ambell i oedfa yn eglwys hynafol Clynnog Fawr gyda'i fam. Mae'n weddol amlwg, o wrando ar rai o atgofion John at ddiwedd ei oes, er ar brydiau'n gymysglyd, nad oedd yn aelwyd oedd yn drwm o dduwioldeb yr oes, er i'w fam, fe ddywedir, fod yn bur olau yn ei Beibl.

Ar y seithfed o Ionawr, 1977, a John erbyn hynny'n 82 oed ac yn preswylio yn Ysbyty Bron-y-garth ym Minffordd ger Penrhyndeudraeth (lle bu o 1972 tan ei farw ym 1985), fe'i holwyd gan Robin Gwyndaf o Amgueddfa Werin Cymru, Sain Ffagan. Recordiwyd y sgwrs honno ar dâp, a mawr yw ein diolch am gael ei benthyg a chael yr hawl i ddyfynnu ohoni fel a fynnom. Dyma, air am air, sut y sonia'r hen grwydryn am Dyddynygarreg ei blentyndod ac yna am ei rieni.

Robin Be oedd enw'r lle?
Preis Tyddyngarrag, Clynnog, achan.
Robin A fanno geusoch chi'ch geni?

Preis   *Ia, fan'no ges i ngeni, 'sdi.*

Robin   *Tyddynygarreg. Ac ma'r lle 'di mynd â'i ben iddo heddiw?*

Preis   *Do, debyg iawn; dyna lle ma 'i 'sdi ... y fi pia fo a nid neb arall, achan, y fi pia fo, achan, ma' gin i hawl, achan ...*

Robin   *... ydi'r tŷ yno heddiw, oes 'na gerrig yno, ydi'r to ar y tŷ?*

Preis   *Duw, do's 'na gythral o ddim byd arno fo, achan. Mae o 'di dwad i lawr i gyd, achan.*

Robin   *Faint o dir oedd hefo fo ...?*

Preis   *Deng acar o le, achan ... mae 'na ryw hen ffridd i fyny'n ochor y mynydd hefyd, 'te, ryw hen gomis 'di fanno, achan. Ia, ryw hen gomis 'di'r hen beth hwnnw, achan.*

Robin   *Ydach chi'n cofio pa flwyddyn geusoch chi'ch geni?*

Preis   *O, ma' 'na beth cythral o amsar oddi ar hynny, 'sdi, 'te. Y? Peth cythral. O Iesu, paid â sôn, achan, am hynna efo fi, achan ...*

Robin   *'Da chi'n cofio'r flwyddyn?*

Preis   *Nagdw i, achan. 'Doedd y baw ddim gwerth i gofio 'sdi. Nagoedd, 'n Duw.*

Robin   *'Da chi'm wedi cyrredd ych pedwar ugien?*

Preis   *Iesu mawr, nagdwi'n agos i hynny, achan. Nagdw. 'Dwi 'mond dyn ifanc, achan, sefnti ffôr ydw i, achan.*

A dyna enghraifft dda o'r henwr yn ceisio'i orau i'w wneud ei hun yn ifancach! Ar y pryd, sylwer, roedd John Preis yn 82 oed, ac roedd i fyw am ragor nag wyth mlynedd arall.

Ei fam

Aeth ymlaen wedyn i sôn am ei fam.

Preis   *Ma' Mam i 'di marw 'sdi, ar y dydd dwytha o'r hen ryfal gynta 'no, achan – rhen wâr cynta un hwnnw 'sdi ... dynas bach, fechan oedd hi, achan. Ia'n Duw, achan.*

Robin   *Oedd hi'n garedig iawn wrthoch chi fel plant?*
        (ymddengys i John gamddeall y cwestiwn)

> Preis Fyddwn i'm yn gneud lol yn byd efo neb, achan; 'nawn i ddim, achan. Dim ond ar ben y'n hun; wedyn, am mod i ar ben y'n hun, do' na neb wedi nrysu fi ddim un ffor' 'te ... ia, o Glynnog oedd hi 'sdi ... o ryw hen dŷ bach yn ymyl ryw hen Fryngola, achan. Dim byd arall, achan. Ma 'na ryw hen dŷ wrth yr hen Simbil nw 'sdi, 'te. Ma'r hen sglyfath wedi cau i fyny 'sdi. Neb isio'r hen sglyfath diawl, 'te.

Ei dad

A beth am ei dad, Richard Price?

> Robin Nawr, beth oedd gwaith y'ch tad? Roedd o'n gweithio ar y tyddyn bach 'ma. Oedd gynno fo waith arall hefyd?
> Preis Nagoedd. Dim byd. Na, dim byd o gwbwl, achan.
> Robin Faint o wartheg o'ch chi'n gadw?
> Preis Rhyw ddwy, achan. Rhyw hen ddwy rwbath, 'te. Dim mwy na hynny 'sdi.
> Robin Oedd y'ch tad yn ca'l digon o arian – digon o bres i fyw?
> Preis Oedd yn Duw. Felly oedd hi 'sdi.
> Robin Oedd o'm yn gweithio'n chwarel?
> Preis Nagoedd Duw. Dim byd ynghylch rhyw hen 'nialwch faw cachu felly. Na fydda – dim byd o gwbwl 'te.

British Columbia

Mae John yn manylu cryn dipyn ar hanes ei frawd, Dic, a fu farw yng Nghanada. Gofynnodd Robin Gwyndaf iddo a oedd ganddo frawd neu chwaer.

> Duw oedd. O' gin i 'sdi, 'te, yn Fancofyr, British Columbia – brawd i mi 'sdi. Y fi oedd y fenga 'sdi, a wedyn 'sdi mi a'th yr hen beth hwnnw (Richard, ei unig frawd) i ffwr', ti'n gweld 'te, a mi dduda i wrthat ti sut o'dd hi efo'r hen beth hwnnw wedyn, 'te. Mi farwodd mewn hen hosbitol a ro'dd rwbath yn ei hen – o' rwbath tu fewn i'w hen wddw fo ... rhen giansar oedd arno fo. Yli di? Mae o ar beth cythral o hen betha. Mae o i ga'l odd' ar ryw hen – mi fyddan nhw di mynd yn diwadd, fydd na ddim byd ohonyn nhw, 'te. Mae o'n i buta nhw 'sdi, yndi, buta hynny sy ynyn nhw. Fel hen gorblu du glas, achan, ma' hen olwg honno'n mynd arnyn nhw 'te? ...

A phan fyddai rhywun wedi marw, wedi mynd *i'r hen Fritish Columbia* fydda fo. Dyna oedd ymadrodd rhyfeddol John Preis. Dywedodd Robert Lewis, Coedtyno, wrtho un tro bod hwn a hwn wedi marw. Ymateb, nid annisgwyl, John oedd: *Ydi'r hen faw wedi mynd i'r hen Fritish Columbia? Mae 'na lawar 'r un fath ag o.*

John yn ysgolhaig

Yn rhyw dair neu bedair oed cafodd John ei gofrestru fel disgybl yn ysgol Clynnog. Peter Edwards oedd enw'r ysgolfeistr, ac fe'i cynorthwyid gan ddwy ferch, Elizabeth Ann Cooke a Jane Rowlands. Roedd dalgylch yr ysgol yn eang, yn ymestyn o Gurn Goch hyd Aberdesach ac i fyny'r llethrau i Gapel Ucha a'r Bwlch Mawr, a hyd at derfyn dalgylch ysgol Ynys yr Arch ar gyrion Pant-glas.

Triwanta

'Does ryfedd yn y byd bod triwanta'n drosedd boblogaidd a chyffredin, gyda'r ysgolfeistr a'r holl fyd addysg yn cwyno'n barhaus am ddiffyg presenoldeb disgyblion ysgol Clynnog. Cedwid y dyn-hel-plant-i'r-ysgol yn brysur dros ben ymhlith rhieni a phlant triwantus Capel Ucha Clynnog. A pha ryfedd? Nid un o gysuron pennaf bywyd – er gwaetha'r golygfeydd godidog – oedd ymlwybro o'r mannau anghysbell gefn gaeaf, a dringo Allt Mur Sant a gelltydd eraill wedi diwrnod yn ymlafnio wrth ddesg yn ysgol y pentref islaw. Clywais o fwy nag un ffynhonnell y byddai mam John yn ei gario, pan oedd yn fychan, yr holl ffordd i'r ysgol – tipyn o gamp, yn wir.

Wyddoch chi mai gan ysgol Clynnog y ceid un o'r ystadegau gwaetha am bresenoldeb yn holl sir Gaernarfon ddiwedd y bedwaredd ganrif ar bymtheg, yr union adeg pan ddechreuodd John Price, Tyddynygarreg, Capel Ucha, ar ei yrfa academaidd ddinod a dilewyrch? Cyfartaledd presenoldeb yr ysgolheigion yn ysgol Clynnog am y flwyddyn 1897-98 oedd 66.5% yn unig. Mewn gair, dim ond dwy ran o dair o'r plant welid, ar gyfartaledd, yn yr ysgol bob dydd o'r flwyddyn. A geid ei gwaeth yn unman, 'sgwn i?

'Does ryfedd, felly, bod nifer o rieni'r plwy yn gorfod ymddangos o flaen eu gwell am beidio ag ymorol bod eu plant yn mynychu'r ysgol yn gyson. Er enghraifft, yn Nhachwedd 1898, roedd naw o rieni plant ysgol Clynnog gerbron mainc yr ynadon wedi eu cyhuddo o'r cyfryw drosedd.

Faint o ysgol gafodd John Preis, 'does wybod. Petaech yn gwrando arno fo, fuo fo erioed ar gyfyl y lle! Celwydd braf yw hynny'n ddi-ddadl. Mae yna un llun – o leiaf – ohono'n yr ysgol, a thystiolaeth nifer fawr o bobl yw fod eu cyndadau'n gyd-ddisgyblion â John yn ysgol Clynnog. Ond dyma ddywedodd John wrth Robin Gwyndaf.

> Preis   'Do'n i'm isio mynd iddi, achan. 'Do'n i'm isio mynd i ryw hen ysgol, achan; nawn i ddim hen lol ddim byd 'te. Wnawn i gythral o ddim byd, achan ... fuo mi ddim o gwbwl. Do'dd dim isio imi fynd chwaith.
>
> Robin Oedd 'na ddim plismon plant yn dwad i'ch gweld chi?
>
> Preis   O Iesu, ryw hen ddyn a ryw hen seid wisgars gyno fo, achan ... o'dd o fel rhyw hen fochyn drewllyd ne' ryw hen fuwch ... yn wirion 'te. Y?
>
> Robin Hen fuwch?
>
> Preis   Ne' ryw hen fuwch faw cachu'n da i ddim, 'te.

Roedd John rywdro wedi gweld corff buwch mewn cae ar ochr y ffordd i Lerpwl!

> Mi welis i ryw hen sglyfath o ryw hen fuwch wedi mynd, achan. Ryw hen beth ddu o'dd hi, yr hen sglyfath ddrewllyd 'te. O'dd hi ar lawr 'sdi, yr hen sglyfath ddiawl. Rwbath wedi dwad ar yr hen sglyfath ddiawl 'sdi. Wyddost ti ddim be o'dd ar y sglyfath diawl ...

Ac yn ôl John Preis, roedd y plismon plant yn union fel y fuwch ddrewllyd honno.

Y cwestiwn mawr

Ond yn ôl at y cwestiwn mawr. A oedd John yn mynd i'r ysgol? Fuo fo yno o gwbwl?

Preis   *Twt, naddo, do'n i ddim isio mynd iddi 'sti. Do'dd dim isio sôn am y cythral 'nialwch; do'dd hi dda i ddim byd, 'te.*

Robin *Be oedd y'ch tad a'ch mam yn ddeud? Oeddan nhw'n trio'ch gyrru chi i'r ysgol?*

Preis   *Duw, nag oeddan, debyg iawn, 'doedd gin neb hawl i 'ngyrru i 'sdi, iddi hi, 'te. Nag oedd, 'n Duw ... be ddiawl fyddat ti haws, 'te? Hen le mor gythril o goman â fo, 'te.*

Robin *... mi oedd plant eraill yn mynd 'doeddan?*

Preis   *Oeddan. Roeddan nhw'n ddigon gwirion i fynd 'sdi, 'te. Y baw cachu – tocyn baw cachu chwain a llau 'te. Roeddan nhw ddigon gwirion, 'te. Oeddan, hollol wirion, 'te.*

Ymysg y rhai a gydoesai â'r John Preis seithmlwydd oed oedd plant fel Huw (12) a Neli Roberts (9), Garreg Boeth, John Jones (10), Bwlch Gwynt, Kate (8), Jane (6) a Mary Lewis (4), Siop Capel Ucha, Mary (10), Ellen (8) a Wili Pritchard (5), Stryd Capel Ucha. Hyd y gwn i, prin iawn yw unrhyw hanesion amdano'n hogyn yn Nhyddynygarreg.

Robin *Be oeddan nhw'n ddysgu yn 'rysgol, d'wch?*

Preis   *Duw, 'doedd gynnyn nhw ddim gés o ddim byd, achan. Oeddan nhw ru' fath â ryw hen 'nialwch o ryw hen 'nialwch gwyllt neu ryw hen lwynog neu ryw hen fynci-babŵn o wirion, 'te. Roeddan nhw'n hollol wirion achan, 'te. Oeddan, hollol wirion, 'te ... wnawn i ddim efo nhw.*

Cwrbits

Preis   *O'dd rhaid iddyn nhw gadw'n glir â fi. Jobiwn i nhw.*

Robin *Oeddach chi'n rhoi cweir i ambell un?*

Preis   *Y cwbwl i gyd ohonyn nhw! O'dd 'no ryw hen gythral mawr o hen sgŵl yno, a rhyw hen locsyn main am ei hen snowt o, achan. O Arglwydd Dduw, taw bendith 'r Arglwydd efo'r henbeth hwnnw, 'te. Ma'r hen faw wedi marw ers blynyddo'dd. Yn yr hen Glynnog 'na ma 'na hen sglyfath o hen eglwys fawr 'no 'sdi – ma'r hen faw wedi'i gladdu tu allan. Ma 'na hen ddrws yn mynd i fewn i'r hen eglwys 'no, tu allan 'sdi. Oes yn Duw ... oes 'n Tad.*

Robin *Da chi'n cofio enw'r sgŵl 'ma?*

Preis   *Do'dd o'm gwerth i gofio, achan!*

Robin *Fuoch chi'n siarad efo fo 'rioed?*

> Preis   *Hý! Honna iddo fo achan!*
> Robin   *Dwrn iddo fo?*
> Preis   *Ia. Roedd hi'n ffeit yno achan. Oedd, cythral o ffeit iawn yno. O*
>   *Arglwydd Dduw. O'n i 'di witshio'r baw hwnnw, 'fyd 'te ... diawl,*
>   *do'n i'm ond yn tynnu am yr hen igian oed 'ma ...*

Yn ôl John, ac mae'n haws credu hynny am rywun o'r cyfnod cyn 1870, ni fu unrhyw un o'i rieni chwaith ar gyfyl ysgol, a chymryd bod ysgol ar gael iddyn nhw. Am ei fam, dywed John nad oedd hi *dim isio mynd i'r hen sglyfath lle. 'Do'dd dim isio sôn am yr hen sglyfath ddiawl.*

Crefydd

A thebyg, ysywaeth, oedd ei agwedd at gapel a gweinidogion a chrefydd.

> *Wnawn i ddim lol yn byd ond gadal llonydd i'r hen 'nialwch ddiawl. 'Do'dd o da i ddim byd. Naaaaa. Hen beth felly da i ddim byd.*

Gofynnwyd iddo a fyddai'n gweddïo o gwbwl. Cymerodd hynny fel esgus dros ladd ar *y golar gron* druan – rhyw weinidog ddaeth ar ei hald i edrych am breswylwyr Ysbyty Bron-y-garth pan oedd John yn byw yno.

> *Hy, hy. Na. Fydda i'n gneud fawr o ddim byd, achan. Cythril o ddim byd. Dim ots gin i am y diail – y diawl 'te. Yn yr hen le 'ma 'sdi 'te, mi welish i ryw hen-beth a ryw hen golar gron gyno fo, achan. Dyna fo'n rhyw sbio arna i achan a ddudish i ddim byd wrtho fo 'te, ond gadal llonydd iddo fo fynd – ffor' hyn neu ffor' acw fel hyn – dyna i ti ddiawch o beth ... mi a'th wedyn. Ro'dd hi'n hwyr iddo fo fynd o wrtha i, achan. Y?*

Fuo'r gweinidog a fo'n siarad â'i gilydd, tybed?

> *Naddo, achan. Roedd arno fo ofn gneud, achan ... mi gora i yn ei herbyn nhw y munud hwnnw 'sdi, a mi ro' i gic dan i tina nhw, a celpan iawn iddyn nhw, a ffwr' â nhw i ffwr' 'te. A mi â'n 'fyd 'sdi. Ma isio'i rhoid hi a'u danfon nhw i ffwr' 'te. Dwi'n siŵr gythral o'u danfon nhw i ffwr', achan. Mi fydd yn dda gynyn nhw fynd i ffwr' o wrtha i, achan.*

Oedd ganddo gred yn Nuw – o unrhyw fath?

Naaaaa. Wedi bod yn y wâr atac ydw i 'sdi, a 'di gweld miliyna o'nyn nhw wedi ei gada'l ar yr hen ddaear yn domennydd, Arglwydd, a drewi yno. Hen betha wedi ca'l eu lladd 'sdi 'te. Iesu mawr, ia.

Diwygiad 1904-05

Fodd bynnag, fe ddaeth John, yn 'fachgen dengmlwydd gerddai' i fyny Allt Mur Sant o'r ysgol yng Nghlynnog, dan 'ddylanwad' Diwygiad 1904-05. Mair Eluned Pritchard o Bontllyfni adroddodd yr hanes am John yn cydgerdded â'i hewythr hithau, William Jones Pritchard (brawd ei mam), pan ddaeth rhyw awydd ar y ddau blentyn i ddringo dros ben clawdd rhyw gae ar ochr y ffordd oedd yn llawn o rwdins. Mae'n debyg bod y ddau hogyn druan ar eu cythlwng, ac yn ffansïo rhyw gegiad o rwdan i aros pryd. Yn ôl yr hanes, trodd y ffordd o'r ysgol y dwthwn hwnnw yn rhyw fath o ffordd Damascus i'r ddau oedd yn chwennych eiddo cymydog, a daeth rhywbeth drostynt i'w hatal. Y munud nesaf roedden nhw'n rhedeg am eu bywydau i Benygongl, cartref William.

Be' gebyst sy'n bod arnach chi? Be 'di'r holl gynnwrf? gofynnodd ei fam i William.

Cael ein temtio ar y ffordd adra wnaethon ni i dynnu rwdan i'w byta – ond wnaeth yr Ysbryd Glân ddim gada'l i ni!

Ar hynny a wyddom, dyna'r unig ddylanwad gafodd y Diwygiad, a chrefydd yn gyffredinol, ar John Preis. 'Doedd ei fywyd, yn arbennig yn ddiweddarach pan y disgwyliech iddo brifio, aeddfedu a gwareiddio, ddim yn adlewyrchu syberwyd y capel – na'r Diwygiad – mewn unrhyw fodd.

Fe ddywedir am ei fam, Elizabeth Preis, ei bod hi'n bur olau yn yr Ysgrythurau, a gallai ddyfynnu adnod ohonynt i glensio dadl, neu i ganmol, neu i geryddu. Cofir amdani yn siop Capel Ucha rhyw ddiwrnod, a gwraig y siop, Catherine Lewis, wrthi'n brysur, ac yn gwbl onest, yn pwyso blawd. Meddai Leusa Preis, gan ddyfynnu o Lyfr y Diarhebion: *Cloriannau anghywir sydd ffiaidd gan yr Arglwydd*. Ie, gair i gall, a gair yn atgoffa'i chymdoges yn garedig o'i dyletswydd Gristionogol.

Mater claddu

Pan holwyd John am weinidog ei blentyndod yng Nghapel Ucha, ac er iddo fod yn mynychu'r ysgol Sul yno pan yn blentyn, aeth ffwl-sbîd ar drywydd arall ac i sôn am gynhebrwng yng Nghlynnog, gan draethu'n awdurdodol amdano. Meddai:

> 'Dw i isio deud rhyw hanas wrthat ti. O' na ryw hen 'nialwch hen ddynas mewn rhyw hen le bychan, mewn rhyw hen Gilcoed yn yr hen Glynnog 'nw. Adag claddu'r hen faw o hen ddynas ddiawl, y sglyfath ddrewllyd, o' na hen beth a ryw hen gyts gyno fo ... roeddan nhw'n disgyn i lawr fath â colar ryw hen gi gin yr hen ddiawl gwirion hen ddyn hwnnw.

Wedi pwl maith o chwerthin iachus, aeth John rhagddo i roi clewtan arall i'r gweinidog druan, a'r un pryd gyfrannu o'i ddoethineb ar fater diboblogi yn y plwyf.

> Fydda i'n deud am y baw hen ddyn hwnnw ... ia, 'di hi ddim gwerth sôn am y baw diawl hen ddyn 'nw ... Welish i yn yr hen le 'nw 'sdi, ma 'na ryw hen Garrag Boeth a ryw hen Fwlch Gwynt – a ma'r hen betha 'ny'n wag 'fyd 'sdi 'te. Do's na'm cythral o neb ynyn nhw 'sdi; ma 'na ryw hen Dyddyn Du a ryw hen Simbil ...

Hen lwyth Ffaro

Beth petai John yn ohebydd yr *Herald Cymraeg* yng Nghlynnog? Meddyliwch! Dyna beth *fyddai* adroddiadau am angladdau'r fro! Ymddengys nad oedd ganddo air da i neb, nag athro na gweinidog na blaenor. A hyd yn oed werin gwlad, ei gymdogion ef ei hun. *Hen lwyth Ffaro* oedd ei ddisgrifiad ysgrythurol dirmygus ohonynt. Pwy oedd rheini tybed?

> Y cwbwl i gyd, yr holl fyd, y greadigaeth 'ma a finna yn y pen arall yn ei herbyn nhw wedyn 'sdi. Dyna sut oedd hi achan.

Gofynnodd Robin yn blwmp ac yn blaen iddo. *Oedd 'ne rywun yng Nghlynnog oeddech chi'n ei hoffi, yn ei licio?* Cafodd ateb yr un mor blwmp, a'r un mor blaen. Nag oedd ...

> *'Doedd 'no neb yn yr hen gythril 'nialwch, mwy na ryw hen Glynnog*
> *arall 'te. Dim ond hen gomandôrs 'te.*

Yn ôl pob golwg, fe hoffai'r Gwyddyl.

> *O'n, yn Duw. O'n, y Gwyddelod, achan. Ond am rhen Saeson,*
> *'doeddan nhw da i ddiawl o ddim. Hen 'nialwch, hen betha budron*
> *comandôr, 'te. Ia. O hen ferchaid i hen ddynion 'run fath yn union*
> *'sdi, 'te.*

A thorrodd John wynt i glensio'i ddyfarniad am y rhein, fel y galwai'r
Saeson.

Y bastad-mul

Ond mae yna ansicrwydd ac anwybodaeth, a pheth dirgelwch ynglŷn â
bywyd cynnar John Preis. Ychydig a wyddom amdano yn ystod y cyfnod
hwnnw cyn iddo ddechrau crwydro. Ceir ambell i stori a draddodwyd
o genhedlaeth i genhedlaeth ymysg teuluoedd ei gyfoedion yng
Nghapel Ucha ac yng Nghlynnog, ac mae nifer o'r teuluoedd hynny'n
dal i drigo yn y fro.

Un peth sydd yn sicr a diymwad. Roedd John yn 'stumddrwg a
phenstiff o'i blentyndod. Sonnid amdano'n hogyn ifanc yn herio pawb
a phopeth, a lluchiai'i gylchau'n feunyddiol.

Daeth syrcas un tro i bentref Clynnog. Un o'r cystadlaethau mwya
poblogaidd a geid ynddi oedd yr un i geisio gwobr am farchogaeth
bastad-mul yn ddi-gwymp am dri munud solat. Caed ciw sylweddol
a brwd o lanciau'r fro yn ysu am y cyfle i goncro tymer ac ystrywiau'r
hen fastad-mul. Gwaetha'r modd, ni pharodd yr un ohonynt ar ei gefn
fawr hwy na rhyw hanner munud, os hynny.

Yna, wele ddyfodiad y bychan byrgoes o'r ucheldir i'r cylch,
Hopalong Cassidy Capel Ucha Clynnog, gan osod ei droed mewn
gwarthol ddychmygol a neidio'n heini ar gefn y twpsyn bastad-mul
gan lapio'i ddwy fraich yn dynn am wddw'r anifail. Rhoddwyd sawdl

go hegar yn lwynau'r creadur i'w gynddeiriogi er gwneud y sioe'n un werth ei gweld.

Ond daliodd John ei afael ynddo fel gelan, yn gwbl ddiollwng, gan ddal ei dir yn wrol i gyfeiliant bonllefau byddarol tyrfa hwyliog o'i gefnogwyr. Ond fel y nesâi bys yr hen oriawr fawr oedd yn llaw Dyn y Syrcas at floedd fuddugoliaethus y tri munud, penderfynodd yr hen fastad-mul roi un cynnig arall arni, cynnig gorchestol eliffantaidd i gael gwared â'r cyw bach haerllug yma a feiddiai amau'i gryfder. Gydag ymdrech arallfydol taflodd ei grwper i'r entrychion, a chyda'r tîn dyrchafedig hwnnw y taflwyd y cowboi yntau'n ddisymwth oddi ar ei gefn i lyfu gwlith Cae Ddôl mewn siom a chywilydd. A'i gwymp a fu fawr.

Aeth y syrcas, fel pob syrcas arall, rhagddi'n ddigyffro, ac ar ei hald i dref gyfagos Caernarfon. Anogwyd John gan ei ffrindiau i roi cynnig arall ar dorri calon yr hen fastad-mul. Cytunodd, a phan y'i gwelwyd yn sythu'n dalog o fewn y cylch, cafodd Dyn y Syrcas gathod bach oherwydd ofnai bod John, y tro hwn, wedi dysgu, ac wedi hen gynllunio, sut oedd mynd ati i ennill y wobr. Ond nid oedd raid iddo boeni. Yr un hen stori, a honno'n waeth, gafwyd yng Nghaernarfon, a'r bastad-mul, erbyn hynny, yn ddoethach ac wedi dod i adnabod ei farchog yn well. Colli'n gwbl ddi-fflach ac mewn cywilydd, a hynny o fewn y munud cyntaf, fu hanes John Preis, druan bach, a daeth o'r syrcas â'i gynffon yn llipa'n ei afl.

A chafwyd gwaeth. Yn halen ar ei friwiau a'i gleisiau, roedd y bws olaf, y bws deg – dratia las! – wedi hen adael y Maes a bu'n rhaid i John druan gerdded adref yn benisel bob cam o'r ffordd – un filltir ar ddeg – i ucheldir tywyll a digroeso Capel Ucha Clynnog.

Y tarw mawr glas

Serch ei natur heriol, doedd John ond un arall o blith cyfoedion gwladaidd a diuchelgais ardal dlawd a gwerinol. Eto'i gyd, mi roedd o'n wahanol.

Mae yna un stori amdano'n llefnyn sy'n cadarnhau (os oes angen hynny) fod yna ryw hen elfen ddigon dichellgar yn perthyn i John Preis. Bron na ddeudwn i ei fod o wrth ei fodd yn dychryn pobl ac yn codi ofn arnyn nhw, yn arbennig y rheini arferai gadw hyd braich oddi wrtho.

Ceir mwy nag un fersiwn o'r hanes enwog am John a'r tarw mawr glas. Pwy oedd piau'r tarw hwnnw, 'dwn i ddim. A oedd gan rieni John darw yn Nhyddynygarreg? Go brin, dybiwn i. Bid a fo am hynny, sonnir gan fwy nag un am John yn dod i lawr yr holl ffordd i bentref Clynnog yn t'wsu'r tarw mawr glas gan beri cyffro a dychryn drwy'r gymdogaeth a chodi arswyd ar holl drigolion y lle. A phe cwynai unrhyw un o'i blegid, byddai John yn troi arnyn nhw ac yn eu bygwth â holl wylltineb annaele a grym mileinig y tarw.

Un tro roedd sioe yng Nghlynnog a daeth John â'r tarw mawr glas yno. Tra oedd pwt o raff gref ym modrwy trwyn yr anifail gallai pawb deimlo'n weddol saff a mentro mynd yn lled agos ato i'w edmygu. Plesiai hynny John yn fawr, ac ar derfyn diwrnod y bu John a'i darw mawr glas yn ganolbwynt y sylw, dychwelodd adre'n ddyn hapus.

Ond, ar amrantiad, ar ganol Allt Mur Sant, dihangodd yr hen darw mawr glas o afael ei feistr a'i gloywi hi nerth carnau i fyny'r gelltydd yr holl ffordd adref. Esboniad rhyfeddol John wrth Robert Lewis y siop oedd mai dychryn wnaeth y tarw *a rhisio pan ddaeth rhyw hen dderyn mawr o rywle*. Go brin mai aderyn go iawn oedd y deryn hwn. Fel "Deryn Mawr" neu'r "Deryn Haearn" y cyfeiriai John at awyren bob amser.

Boms a býns

Yn wir, pan fu rhywfaint o fomio ym Mhenyberth, Llŷn, disgrifiwyd yr olygfa yn hynod o liwgar a ffrwydrol gan John. Honnai iddo weld y cyfan, ac meddai: *Mi welis i'r Deryn Haearn yn cachu tân.*

Oedd, wir i chi, roedd John wedi gweld pethau rhyfeddol yn dod o'r awyr, ac wedi'u disgrifio ag ymadroddion lliwgar dros ben. Cofia gŵr Caeau Brychion, Pwllheli, fel y disgrifiai John gyrch yr Almaen ar wersyll Penyberth adeg yr ail ryfel byd. Oedd, siŵr iawn, roedd John Preis yn llygad-dyst o'r cyfan. Ond nid yn unig bod yn dyst. Gwelodd John rywbeth na welodd undyn arall, a hynny, mae'n debyg, yn nhwllwch dudew nos. Yr hyn a welodd oedd awyren fomio'r Almaenwyr yn bagio wysg ei thîn yn y ffurfafen, camp anhygoel a dweud y lleiaf: *Mi welis i'r sglyfath yn bagio'n ôl ei dîn, ac yn gollwng ei hen fŷns.* Mae'n anodd cyffelybu bom i fynsan, rhywsut, ond gallodd yr hen Breis wneud hynny!

Gwrol ryfelwr

Ymddengys fod John yn gwybod be' oedd be' ym myd arfau a bomiau a rhyfeloedd. Onid oedd wedi treulio pum mlynedd arswydus yn heldrin Armagedon ffosydd Ffrainc y Rhyfel Mawr?

> *Meddwl am y petha 'dw i 'di bod drwyddyn nhw wyddost ti, 'te, 'dw i di bod trw' gythral o betha 'sdi, 'te. Fuo fi yn yr hen ryfal 'na am bum mlynadd 'sdi ... 'Do'dd 'na'm gwahania'th rhwng dydd na nos achan, 'do'dd 'na'm byd ond i lladd n'w o hyd achan.*

Dyna yr honnai.

Robin Oeddach chi'n gweddïo pan oeddach chi'n y rhyfel?

Preis Na. Dim lol yn byd, achan. Y? Dduda i wrthat ti fel bydda hi. Mi fyddwn i'n saff y dwytha ohonyn nhw, achan – yli di fel ro'n i – o'dd rhen Jermani yn gythraledig. Anghofia i byth am 'rhen Jermani, achan. Ew, o'dd hi'n hen wlad fawr 'sdi, hen wlad fawr gre', 'te. O'dd hi'n gythral o hen wlad fawr 'sdi, 'r wlad fwya'n y byd 'sdi. O'dd na filiyna o soldiwrs yn'i hi. Dwi'n cofio am ryw hen le yn fan'no, achan – yr hen Rwsia 'na oedd 'gosa iddi, 'te – mi ddeuda i ti hanas fan'no wrtha ti. Ei hel nhw i'r môr; ei hel nhw i lawr y ffor', a'i hel nhw i'r môr, a dim lol efo nhw, achan. Wedyn 'sdi, oeddan nhw'n cadw'i pobol nhw'u hunan. Weli di lle oedd hi'n dwad wedyn 'sdi – fel difféns o'dd hi 'sdi. 'Da chi'n dallt rŵan 'dach?

Robin Yndw.

Preis Peth rhyfadd ydi selff-difféns 'sdi. Wyddan nhw'n unlla be' 'di selff-difféns, achan.

Robin   Oeddach chi'n saethwr go-lew o dda?

Preis   Iesu mawr, taw neno'r Arglwydd. 'Sdi be fyddwn i'n neud? 'I witshio nhw fel na fedran nhw neud dim byd, achan. 'Na ti gythril o beth, 'te ...

Robin   Ond sut o' chi'n gallu'u witshio nhw?

Preis   Y "deful" yn y lle yn gneud i mi 'neud – y gŵr drwg yn dangos i mi sut i neud, achan. Ia, peth rhyfadd odd o 'fyd 'sdi.

Robin   Be oedd y gŵr drwg yn ddwued wrtho chi am wneud?

Preis   O, i gyrru nhw 'sdi, ffor' hyn neu ffor' acw 'te. Dim lol efo nhw 'te ... Welish i rai mewn trwbwl ac mi fedrwn i ca'l nhw allan ohono fo ...

Yn Ewrop

Robin   I lle aethoch chi gynta' ...? I Loegr?

Preis   I'r hen Lunda'n 'nw, achan. A trosodd o'r hen Lundan 'nw i'r hen Ffrainc 'nw, achan ... trosodd efo rhyw hen fan-i-wâr fawr ... a cythral o hen ynna mawr arni, achan. 'Esu, o'dd honno'n chwthu ryw hen betha'n dipia, rhen fan-i-wâr fawr 'no, achan ...

Robin   Yn Ffrainc buoch chi trw'r amsar?

Preis   Trw'r amsar.

Robin   Yn lle yn Ffrainc?

Preis   Yno.

Robin   Ble? Da chi'n cofio?

Preis   O – o – o oedd o rwla tua canol Jermani 'te ... o'na dre yn fan'no, yn rhen Berlin 'nw 'te – y dre' fwya'n y byd ... O'dd honno'n dre' fawr 'sdi. 'Esu mawr, sôn am Lunda'n 'te. Duw, do'dd Llunda'n ddim ond ru' fath â 'sa ni'n isda'n fa'ma i honno, achan 'te. Ia.

Y Jermans

Bach iawn o goel y gellid ei roi ar honiadau mawrion John Preis. Y gwirionedd yw na fuo fo o fewn can milltir i unrhyw ryfel yn unman. Mae sôn iddo gael ei alw i Wrecsam am archwiliad meddygol pan ddaeth consgripsiwn gorfodol i fod. Fe'i gwrthodwyd. Hyn, waeth beth ddywed John ei hun, oedd alffa ac omega ei yrfa filwrol. Mae Emyr Williams yr *Herald Cymraeg* yn gwbl bendant ar y mater:

Hoffai ramantu o dro i dro, a sylweddolai llawer un mai celwydd noeth ydoedd rhai o'i storïau. Ei hoff stori oedd honno amdano yn lladd cannoedd o Jermans yn y rhyfel.

Serch hynny, mae ei wybodaeth am yr hyn a ddigwyddodd yn weddol fanwl – a gwahanol! Ond y gwir yw nad oes ganddo ond rhyfeddod ei ddychymyg yn unig i ddibynnu arno. Gall swnio'n bur wybodus, ac fel y dropowt arall o'i flaen, Dic Aberdaron, mae John yntau, pe'i coelid, yn ieithmon gyda'r medrusaf.

Robin Yn y rhyfel rŵan – oeddech chi 'di dysgu iaith pobol Ffrainc, neu'r Jermans?

Preis Duw, o'n. 'Do na'm traffath. O'n i'n gw'bod honno ru' fath yn union â rwbath arall. 'Do na'm traffath yn byd efo'r hen beth honno 'sdi 'te.

Robin Be 'di'r peth mwya' rhyfeddol ... am eich cyfnod yn Ffrainc?

Preis Dim byd, achan. Mae o 'di bod a mae o'n ffact o beth i ddeud. Jermani'n curo'r hen wlad yma. Dyna o'dd y diwadd, achan. Curodd 'rhen Jermani ni. Do. Roeddan nhw'n sincio hen longa awyr a ryw hen fan-i-wârs a bo' peth. Mi gnath nhw fel nag o'dd gynyn nhw ddim byd, achan. Doedd gynyn nhw ddim sentan o hen bres na dim, achan. Wedyn achan, aethon nhw i hen gyboli, meddwl basa Mericia'n gneud rhyw hen lol efo nhw, 'te. Wnâi Mericia ddim – ddim lol efo nhw ... gwlad ar ben i hun, doeddan nhw ddim isio 'sdi, 'te. O nagoedd, o'dd Mericans yn y trwbwl ru' fath yn union 'sdi.

Robin Geuso chi'ch brifo o gwbwl?

Preis Naddo. Cythril o ddim byd, achan.

Robin Be fyddech chi'n neud gyda'r nos ... yn y rhyfel?

Preis O, dim byd ond sbecian yn y pylgain nos i edrach fydda 'na rwbath, achan ... tua dau o'r gloch bora, ffor' 'no ... welish i'r hen Lerpwl 'nw 'sdi 'te – oe'no ryw hen 'nialwch ryw hen dai ar ben ryw hen dro a mi o'na ryw hen dai, hynny o'dd 'no 'sdi. Mi arhosish i yn fan'no – aros yno, peidio mynd o'no 'sdi. Mi ddoth 'na ddyn yno, yli di 'te. A'th i fyny, agorodd 'rhen ddrws achan ac i fyny i'r hen lofft 'na hyd 'rhen risia 'ny a mi oedd 'rhen betha'

> *yn 'i hen wlâu a mi ro'dd 'rhen foto car gyno fo allan yn lôn 'te,*
> *gyferbyn â'r hen fanc 'nw 'sdi. Eu saethu nhw na'th o, yli di fel*
> *ro'dd hi. Y? Shot iddyn nhw ro'th o, yr hen dacla diawl. O'dd*
> *gyno fo hen oriada' i agor hen sêff 'te, wedyn 'sdi ffwr' â nhw*
> *efo fo 'te. Ia. Yli di fel ma' hi 'te.*

Beth oedd barn John, tybed, am ei gydfilwyr honedig yn y rhyfel?

> *... da i ddim byd, achan. Oeddan nhw fel babis a hen ferchaid*
> *faw cachu faw. Oeddan, 'doeddan nhw'n da i ddim byd, achan.*
> *Myn diawl, oedd 'rhen Jermans 'na yn 'i difa nhw o hyd, achan.*
> *Ddaru nhw ddim stopio o hyd a dim ond dal i' jobio nhw o hyd,*
> *achan.*

> Robin *Pam ddaru chi benderfynu mynd i'r rhyfel, felly?*
> Preis *Dduda i wrthat ti. O'n i'n bendarfynol o'i darfod nhw 'sdi 'te. A*
> *mi neish 'fyd, achan. Mynd ohona i'n hun at y 'nialwch eis i 'sdi,*
> *a mi ddois o'r hen 'nialwch fath ag o'n i 'sdi.*
> Robin *Mynd er mwyn cael darfod pwy, felly?*
> Preis *Yr hen lwyth Ffaro, 'sdi ... ia, yr hen gomandôrs, 'te ... yn 'rhen*
> *wledydd tramor 'na oeddan nhw.*

Rhegi a melltithio

Rwyf wedi dyfynnu'n bur helaeth mi wn – efallai gormod – o'r hen
John yn palu'r naill gelwydd ar ôl y llall. Ni all parselu pawb yn aelodau
o hen lwyth Ffaro fod yn wir. Fe wyddom i sicrwydd bod John Preis
wrth ei fodd ymysg ei gydnabod yng Nghlynnog. Gwir hefyd na fu ar
gyfyl unrhyw ryfel.

Ond mae'r holl ddyfynnu yn ein hatgoffa sut un oedd John Preis,
ac yn arbennig y ffordd y siaradai. Mae ei eirfa yn gymharol gyfyng o'i
oes ac wedi ei phupro ag ugeiniau o *hen* a *sglyfath* a *baw* ac ati. A phan
fo'n rhegi, sylwer – ac mae hynny'n aml iawn – rhyw regi 'crefyddol',
yn cynnwys enw'r *cythril* a'r *diawl*, ydi hwnnw bron yn ddieithriad.
Chlywyd mo John erioed, hyd y cofiaf, yn defnyddio unrhyw un o eiriau
budron a ffiaidd y Saesneg – rhegfeydd *y rhein*. Rhegfeydd ddaeth i
gefn gwlad Cymru o wlad cymdogion yw'r rheini. Ac yn Gymraeg –

Cymraeg Capel Ucha Clynnog ganrif a rhagor yn ôl – y caech eich rhegi, a'ch melltithio, gan John Preis. Roedd blas y pridd yn drwm arno.

Rhyw ddechrau crwydro

Am gyfnod wedi claddu'i dad, bu John yn gweithio ar ffermydd yn yr ardal, yn arbennig ym Maesog lle byddai'n plannu a chodi tatws, ac yn laddar o chwys yn y cynaeafau gwair ac ŷd. Roedd Catrin Parri Huws yn chwaer i Owen a Robert Parry, Brysgyni Ucha, ac yn briod â Simon Hughes, Brynifan. Gallai gofio'r amgylchiadau'n dda.

> Ar ôl claddu ei rieni y dechreuodd John fynd ar dramp. Wedi cynhebrwng ei dad aeth i Frynifan i weithio, a Nel yr ast i'w ganlyn. Pan ddeuai ffit y tramp gollyngai'r tŵls ac i ffwrdd â fo gyda Nel heb yngan gair wrth neb. Ond ymhen ychydig ddyddiau fe ddychwelai.

Hyn oedd dechrau pethau, a phur ansefydlog fu John wedi hynny. Roedd erbyn hyn yn trigo yn llofft stabal Brynifan ac yn prysur dyfu i fod yn ŵr pur wahanol i bawb arall. Daeth stori'r triog yn boblogaidd iawn yn yr ardal, a chafwyd mwy nag un fersiwn ohoni. Ond rwy'n siŵr ei bod hi'n ddiogel dibynnu ar Catrin Parri Huws, gan iddi briodi â mab Brynifan.

Taffi'n y triog

Un nos Sadwrn, gorweddai John ar ei wely yn llofft stabal Brynifan. Daeth chwant bwyd arno.

> Yn y llofft yr oedd casgennaid fawr o driog a'r geiriau bras arni: **NOT FIT FOR HUMAN CONSUMPTION**. Trodd John y tap heb gymryd y sylw lleiaf o'r label. Yfodd lond ei fol o'r triog ac yna am y gwely, gan adael y tap yn agored. Bu raid i John godi yn ôl a blaen yn ystod y nos a cherdded drwy'r triog. Pan gododd Huw, y mab, y bore Sul hwnnw (gan mai'r porthwr a arferai godi gyntaf fore Sul), beth a'i hwynebai ond y triog yn llifo i lawr yr iard! Dringodd i'r llofft, a dyna lle 'roedd John gyda phoenau mawr yn ei stumog. Dyna'r Sul caletaf a fu ar ei

ben erioed – rhwng ceisio glanhau'r triog, ac ymgeleddu a doctora John. Ond daeth 'rhen John drwyddi gan mor wydn ydoedd.

Coeliwch neu beidio, pan roddodd John D. Williams y gorau i ffermio Brynifan yn y 1990au, roedd olion y triog hwnnw yn dal ar ddistiau'r llofft stabal.

Gadael cartref

Mae'n bur ddiogel dweud mai llid ar yr ymennydd gafodd y John Preis ifanc. Pa bryd y daeth yr aflwydd hwn i'w ran, 'does wybod. Dywed un a'i hadnabu mai rhyw chwech oed oedd o, un arall mai deunaw. Yn yr hanes byr am ei farwolaeth a welir yn yr *Herald Cymraeg* yn Hydref, 1985, dywedir iddo gael ei daro â llid yr ymennydd yn wyth oed. Mae lle i gredu hefyd mai ar farwolaeth ei fam ym 1918 y digwyddodd, ac iddo effeithio ar ei iechyd meddwl i'r fath raddau fel y bu iddo benderfynu codi'i bac a cherdded y lôn.

Nid oedd amser yn cyfri dim iddo. Ni allai fod o fewn deng mlynedd i nodi unrhyw ddigwyddiad. Dywed i'w fam farw ym 1947, a thro arall ym 1918. Yr ail ddyddiad sy'n gywir. Bu farw ar y cyntaf o Hydref, 1918, yn 65 oed, ac fe'i claddwyd ym mynwent Capel Ucha Clynnog. Yno hefyd mae Richard, ei phriod, a gladdwyd ym 1924, a'u merch Jane, pymtheg oed, a gladdwyd ym 1901. Yno hefyd, er mis Hydref, 1985, mae John Preis yntau.

Mae'r achos yng Nghapel Ucha, enwog am ei weinidog Robert Roberts, wedi ei hen gau, a'r capel bellach wedi ei ddymchwel.

Ia, achan ... yn fan'no ma 'nhw 'di claddu i gyd 'sdi. Ma 'na lot o hen betha er'ill 'di claddu 'no. Mae 'na hen 'nialwch o hen gapal yno 'sdi, hen 'nialwch nad ydi o'n da i ddiawl o gythral o ddim 'te. O'no hen Fwlch Gwynt ... a hen Garrag Boeth ...

Gofynnwyd i John am ba hyd y bu'n byw yn Nhyddynygarreg ar ôl marwolaeth ei fam: *Duw, am tua hannar cant o flynyddo'dd, achan ... ma hen amsar yn mynd heb i neb gysidro 'sdi ...*

Golygai hynny, petaech yn ei goelio, nad aeth i grwydro tan tua 1968! Fe wyddom ni iddo ymddeol o'i grwydro rhyw flwyddyn neu ddwy ar ôl hynny! Mewn gair, ni ellir rhoi fawr o goel ar eiriau John, gwaetha'r modd. Y rheswm iddo ddechrau crwydro, meddai o, oedd fod tŷ Tyddynygarreg wedi dymchwel am ei ben!

> *Do'n Duw, yn lle'r o'n i 'sdi, Wedyn 'sdi, nes 'im byd ond mynd am dro ar hyd ffor' fawr 'sdi 'te – mynd am Lerpwl ffor' 'na, a Caer 'sdi. Ia, debyg iawn. Y? Ar ôl i mi ga'l Queensferry 'sdi, o'n i'n Lloegar 'radag honno 'sdi, nid yng Nghymru 'te ... Lloegar o'dd y gora, achan ... troi neish i, achan. Do'dd dda gin i ... hen beth da i ddim byd 'te. Doedd yr hen 'nialwch hen iaith fain yr hen Saeson 'na yn ... gysur yn y byd i neb 'sdi 'te. O nag oedd 'te – ryw hen hâff-cast 'te.*

Y Llwynog a'i lwynoges

Mi fu gan John ast fechan, llwynoges mewn gwirionedd, oedd yn gydymaith iddo am rai o flynyddoedd cynharaf ei grwydro.

> *O'dd hen drwyn main a hen glustia' – hen betha' i fyny yn syth. 'Sdi be o'dd yr hen 'nialwch? Hen lwynog o'dd hi; hen lwynog o'dd 'rhen sglyfath diawl, achan. Hen lwynog gwyllt efo fi, achan. Fi oedd wedi dal yr hen sglyfath diawl rwsut. O'n i 'di ca'l yr hen faw diawl ... mi fuo efo mi am beth mwdradd o amsar ... Duw do, am flynyddo'dd lawar ... o'dd hi'n cnoi hen faw o hen ddefaid, achan. Bydda. Torri ryw hen dwll, achan, yn i hen wddw nhw – rwsut fel'na – a sugno i hen waed nhw a dim lol arall efo nhw ... Mi wnai 'rhen ddiawl ohono'i hun. Y cythral mwngral 'te.*

Chwalfa

Mae'n anodd iawn bellach gwybod i sicrwydd pam, a pha bryd yn union, y bu i John ddechrau crwydro o ddifrif. Yn sicr, ni chafodd lwyr iachâd o'i afiechyd blin ac effeithiodd hwnnw arno'n feddyliol gan ei wneud yn bur 'wahanol' i bawb arall.

Pan fu farw Richard Price y tad yn 78 oed ar yr wythfed ar hugain o Fai, 1924, John oedd yr unig un o'r teulu oedd wedi dal i fyw yn Nhyddynygarreg. Fo oedd etifedd y stad. Yn ewyllys y tad rhoddwyd y cyfrifoldeb o warchod buddiannau John yn nwylo Dafydd Parry, Ocsiwnïar, oedd â'i swyddfa ym Mhwllheli, ac ato fo y byddai John yn tuthio am dipyn o arian i'w gynnal ar ei daith. Gosodwyd tir yr hen ddyddyn i'w gyfaill a'i gymydog, Robert Lewis; ond aeth y tŷ â'i ben iddo'n fuan wedi'r chwalfa.

'Doedd pethau'n aml ddim mor loyw ag y dylent fod rhwng John Preis a Dafydd Parry. Pam, 'does wybod, ond mae gan John, yn ei hen ddyddiau, ambell i beth i'w ddweud am y berthynas honno.

> *Wedyn ddoth y tŷ i lawr 'sdi. Wedyn gosod y tir – ma'r lle yn ca'l ei osod 'sdi 'te. I rywun arall 'te. Wedyn ma 'na rent yn dwad i mewn i mi bob blwyddyn am hwnnw 'sdi 'te. A maen' nhw'n cadw nhw'n banc i mi yn Pwllheli. Pan â i i Bwllheli ma' dyn y banc efo rhyw ddyn arall yn rhoid arian i mi 'sdi.*

Sonia hefyd ei fod yn derbyn rhyw bensiwn rhyfel. Nid gwir hynny, wrth gwrs, gan na fu'n agos at unrhyw ryfel. Ond yn ôl at Dafydd Parry, Ocsiwnïar.

> *Lle bynnag awn i, do'dd dim ots ble, roeddan nhw'n gwbod o lle o'n i'n dwad i'r dim, achan. Oeddan nhw'n gwbod yn iawn nag o Glynnog ro'n i'n dwad, achan ... ag roeddan nhw'n gwbod ma fi o'dd pia'r lle 'sdi. Roeddan nhw'n gwbod bod gin i arian 'fyd. 'Na ti gythril o beth wedyn 'sdi 'te. Yli di fel ma'i 'te. A w'sdi be? Efo'n lle fi 'te, roedd na ryw hen 'nialwch, ryw hen beth yn yr hen Bwllheli 'nw, ryw hen ocsiwnïar 'sdi 'te, a mi o'n na ryw hen faw 'blaw yr hen beth cynta' – brawd i'r hen beth hwnnw 'sdi 'te. Marw 'nath rheini 'fyd. Ia. Ciansar arnyn nhw, achan. Mi farwon yn ifanc, achan. Do, yn ifanc iawn 'fyd, achan ...*

Yn wir, cyd-ddigwyddiad rhyfedd oedd i Gwilym, brawd Dafydd Parry, oedd ar y pryd gyda'i ferch yn Abertawe, farw yr un wythnos â John Preis, yn 92 oed.

Mercheta

> *O'na ryw hen frenin – ryw hen Ging Jorj. Mi farwodd hwnnw 'fyd, achan. Wyddost ti be o'dd matar ar hwnnw?*

Aeth John i chwerthin yn gwbl afreolus cyn datgelu cyfrinach fawr gwely angau brenin Lloegr:

> *Wedi ca'l dôs o pox o'dd hwnnw, achan ... dwi YN iawn 'sdi. Dyna be o'dd matar arno fo, achan. Wedi bod yn cyboli efo hen ferchaid, achan, a mi gafodd y peth rong; chafodd o mo'r reit 'sdi. O, Arglwydd Dduw, taw.*

Roedd y John Preis ifanc ei hun yn gwbl ddiogel rhag unrhyw aflwydd gwenerol, a hynny am y rheswm syml nad oedd, yn ei eiriau ei hun, yn cyboli â merched.

> *Robin* Oeddach chi'n mynd efo ambell i ferch?
> *Preis* Na, 'Nawn i'm lol yn y byd 'sdi. O'n i'n gw'bod bod nw'n ca'l hen dacla diawl 'sdi, ma 'na hen betha a hen diciâu arnyn nhw 'sdi, 'te ... ma'r hen betha hynny'n deud rhyw hen lol wirion, achan. Ma nhw'n trio deud bod nhw'n gwella. 'Dydyn nhw ddim yn gwella. Mynd am y byd arall ma' nhw ... y byd a ddaw! Www!
> *Robin* Fuoch chi 'rioed yn rhoi cusan i ferch?
> *Preis* Dim lol yn byd, achan.
> *Robin* Na dim byd arall efo merched?
> *Preis* Dim byd arall, nag efo neb arall na dim cythril o ddyn yn byd, achan.

Felly, yn ôl ei gyfaddefiad ei hun, fu gan John erioed ddiddordeb mewn merched. Yn nes ymlaen yn ei sgwrs, daw cynffon ryfedd i'r stori. Ymddengys bod John, yn gynnar yn ei yrfa grwydrol, wedi bod yn cyboli â rhyw ferch yn rhywle – merch ffarm oedd yn ei ffansïo fo yn fwy nag yr oedd o yn ei ffansïo hi. Dyna mae John yn ei ddweud, beth bynnag.

> *Mewn ffarm roedd yr hogan yn byw, achan ... fûm i yno trw'r gaea, achan ... do'n i'n ca'l faint fynnir o bob peth 'sdi, faint fynnir o fwyd 'sdi ... roedd hi wedi bod hefo ryw hen 'nialwch hen beth arall, achan, a mi o'dd hi 'di ca'l ryw hen gyw o ryw hen-beth arall ... ddoth hi efo fi wedyn 'sdi. Dim cymffrans yn byd, achan ... o'n i'n ama bod ryw hen 'nialwch 'te.*

Ac ymhle, tybed, roedd y caru'n digwydd?

I fewn. O'dd 'no hen feudái yno 'sdi, a mi o'dd 'no lot o hen warthag yno. Fan'no byddwn i yn y nos achan, efo'r hen warthag 'ny. A mi fydda'r hen hogan yn dwad yno ryw dro. Welish i'r hen hogan yn dwad yno o un i ddau o' gloch bora achan. Y? Do'n Duw, i edrach o'n i yno. A mi ro'n i yno 'fyd 'te. Mi ddoth o'r tŷ yno 'sdi, i'r hen feudái 'sdi, a mi oedd 'na ryw hen gadlas tu ôl i'r hen feudái 'ny 'sdi 'te, yn yr hen ffarm ... dwad â bwyd i mi o'dd hi ... dim ond i roid o i mi, achan, ar y ffri-trêd, achan. Dim byd arall ...

Ond a oedd John yn caru – go iawn - hefo hi?

O'n debyg iawn. Dyna be o'dd matar 'sdi. 'Doedd y ddynas yn misio, yn methu ca'l neb 'sdi, ac isio ca'l rywun. A finna'n dallt bod hi 'te ... o'dd raid i mi ga'l mynd 'te. Ar y ffri-trêd ag awê, ar y rôd-wê 'te.

Ac ar y rôd-we, y Jóseffwt, y ffordd fawr, y tramwyodd y digymar John Preis hyd nes oedd o'n rhy hen i allu gwneud hynny.

CRWYDRYN

Felly, yn unol â'i benderfyniad, i ffwrdd yr aeth, gan gerdded yn fân ac yn fuan â'i ben ymlaen, ei getyn yn mygu o siag, ac oes o grwydro yn ymagor o'i flaen. Bellach roedd pob magl wedi'u torri, a'i draed yn gwbwl rydd. Roedd John Price, Tyddynygarreg, Capel Ucha Clynnog, yn cefnu ar bawb a phopeth ac yn torri cwys unigryw a hollol annibynnol iddo'i hun ar dyndir Cymru a thu hwnt, yn un o Bendefigion y Briffordd, os nad yn Frenin. Ac yng ngeiriau nifer o drigolion Clynnog a Chapel Ucha – *Nid tramp oedd John Preis, ond un ohonom ni*. Mae'n hanfodol cofio hynny bob amser, cofio am dosturi hen gydnabod tuag ato.

Crwydriaid

Ganrif a rhagor yn ôl, adeg geni John Preis, cochid llwybrau Cymru gan lawer iawn o grwydriaid. Pobl oeddynt, am amryfal resymau, a ddatgysylltodd eu hunain oddi wrth gymdeithas, ond eto'n parhau i ddibynnu ar y gymdeithas honno am eu cynhaliaeth ac am ryw lun o do uwch eu pennau. Yn amlach na pheidio, cerddent yn ddibwrpas, ymhell ac agos, wedi ymwisgo'n garpiog, yn eillio'n anaml ac yn ymolchi'n gwbl fympwyol. Roedd nifer ohonynt yn begera, yn cardota, ond ni allwn osod John Preis yn y categori yna. Daethant yn bobl gyfarwydd iawn, i wragedd ffermydd yn arbennig, a gwyddent lle'r oedd croeso i'w gael. Gwyddent yn ogystal am y llefydd y dylid eu hosgoi. Yn wir, roedd gan y frawdoliaeth, fel y morwyr â'u fflagiau, eu harwyddion unigryw eu hunain. Gadewid y rhain mewn sialc neu olosg neu dar oddi ar wyneb y lôn, neu hyd yn oed faw gwartheg, ar bostyn giât ambell i ffarm neu dŷ, yn hysbysu crwydriaid eraill o natur croeso, neu ddiffyg croeso'r lle hwnnw. Byddent hefyd yn treulio nosweithiau, yn arbennig yn y gaeaf, yng nghynhesrwydd adeiladau'r Giás (y Gwaith Nwy) geid ym mân drefi cefn gwlad Cymru.

Ysgymun – gan rai

I lawer o bobl barchus Cymru, dosbarth canol y trefi yn arbennig, roedd pob crwydryn, beth bynnag fo'i amgylchiadau, yn ysgymun llwyr, yn *bête noire* cymdeithas hunangyfiawn. Dysgid y cŵn i'w casáu a'u herlid, a hynny hyd yn oed ar rai ffermydd. Onid oedd Ruby'r ast yn *coethi pob trempyn drwg-ei-fwriad a snechiai drwy'r llidiart* yn fferm y Gromlech yn Nhrefdraeth, sir Benfro?

A phan gynhaliwyd Pasiant crand ar lawnt Plas Newydd, Llangollen, ym 1929, rhaid oedd cadw'r lle yn gwbl barchus yn unol â safonau a gwerthoedd y da eu byd oedd yno.

Cedwid y lawnt yn lân o bob crwydriaid gan ddau heddwas yn niwyg blismonaidd yr amser gynt – un yn gymharol fyr a chydnerth, y llall yn dal a hirgoes, a'r ddau wrth eu bodd yn cael dodi blas eu batwn ar grwper ambell grwt a feiddiai sengi fodfedd dros y terfyn gosodedig.

Ystyrid y crwydriaid yn yr un dosbarth ag 'arabs' y strydoedd, y comanjacs. Daw'r ddau hanesyn yna o *Moelystota*, llyfr Je Aitsh *Y Brython*.

Lletygarwch

Bywyd caled iawn oedd bywyd y crwydryn, yn arbennig yn y gaeaf. Mewn glaw, eira ac oerni, ceisiai gadw'n sych, yn gynnes ac yn ei iawn bwyll. Câi garedigrwydd mawr ac ymgeledd gan gannoedd o bobl garedig – yn fwyd a diod, yn ddillad a baco, yn gynhesrwydd beudy, ysgubor neu das wair. Ac fe wyddai'n iawn ym mhle i alw a lle i beidio â galw.

> Tân a bwyd rydd i'r crwydryn – yn ei gur;
> Agored yw'r bwthyn;
> Cured eto'r cardotyn
> I dorri'i daith: brawd yw'r dyn.   (Sarnicol)

Roedd gan John Preis yntau ei ffefrynnau, ei ddewis leoedd. Roedd lletygarwch rhai o'r ffermydd hynaf yn draddodiad oedd yn ymylu ar fod yn ddeddf gwlad, gan fod â wnelo'r ddyletswydd â hen, hen hawliau elusennol eglwysig, rhywbeth yn debyg i hawliau comin mewn gwirionedd. Tybir bod rhai ffermydd, megis Plas-gwyn a Llwyndyrys yn ardal Y Ffôr, yn cael peidio â thalu degwm ar yr amod eu bod yn rhoi lloches a lluniaeth i hyn a hyn o grwydriaid bob blwyddyn. Mae'n amlwg fod yr elusengarwch hwn yn hen iawn oherwydd roedd y ffermydd eu hunain yn ganrifoedd oed, ond yn fwy na hynny, wedi eu lleoli yn weddol agos at lwybrau pwysica'r pererinion gynt tuag at Enlli. Gellir enwi Gwynus a Chefnydd a Charnguwch ym mhlwy Pistyll, Tŷ Mawr a Thy'n-coed ac Elernion yng ngorllewin Uwchgwyrfai, a Bodwrdda a Neigwl yn Llŷn. Roedd y rhain hefyd yn lleoedd fyddai'n dal yn elusengar i'n dyddiau ni, ac yn rhoi llety a lluniaeth i John Preis yntau. Ychwanegwch nifer dda o ffermydd ardal ei febyd yng Nghapel Ucha Clynnog – Coedtyno, Brysgyni, Pen-rallt, Brynifan ac eraill, ac fe welir un o hoff gylchdeithiau John. Â'i dafod yn ei foch, heb os, y cyfeiriai yn ei hen ddyddiau at bobol ei filltir sgwâr fel llwyth Ffaro. Dim byd o'r fath! Rhain oedd ei noddwyr a'i ffrindiau pennaf.

Yn ôl Miss E.J.Parry byddai John yn dod i Brysgyni fel tasa fo'n dwad adra.

Ni fyddai clo ar y drws o gwbwl a deuai i mewn ar ei union. Mi fyddai'n eistedd wrth y bwrdd ac yn cael yr un bwyd â ninna'.

Ychwanega: ... *ond yn y beudy'r gaeaf a'r tŷ gwair yr haf y cysgai. Byddid hefyd, ar ddydd Mawrth Ynyd, yn cadw crempog i John, rhag ofn y galwai, a rhag ofn na fyddai wedi cael un. Tipyn yn fochynnaidd fydda fo, ond roedd rhywun yn derbyn hynny am mai John oedd o.*

Ac oedd, roedd o'n un o'r creaduriaid mwyaf anniolchgar dan haul. Fydda fo byth yn d'eud diolch.

Roedd hynny'n fath o orchest ganddo.

Yn fynych clywid sôn amdano'n lluchio brechdanau dros ben cloddiau. Yn ôl Wil Sam, hen gyfaill annwyl iddo, *wnae o un dim â brechdan fel eich brechdan chi a finna. Fedra fo ddim aros yr 'hen beth meddal hwnnw sy'n canol', chadal onta. Crystyn oedd o isio bob amser. 'Dw i'n cofio gorfod torri dau dalcan a phedair ochor y dorth iddo fo droeon er mwyn iddo fo gael y crystia; torth soeglyd ddi-grystyn fyddai ar ôl i ni. A gwaeth na hynny, mi fydda John wedi lluchio'r crystia dros ben clawdd cyn bod o olwg y tŷ 'cw.*

Ond esboniad arall, cwbwl ddi-grystyn – a diddannedd! – sydd gan Miss Parry, Brysgyni.

Methu â byta oedd o, wyddoch chi. Fyddai ganddo fo'r un dant yn ei ben. Fedra fo ddim cnoi!

A dyna, efallai, egluro ymddygiad anniolchgar John Preis i gannoedd o wragedd caredig ledled Cymru.

Croeso

Yn naturiol ddigon, ardal Capel Ucha Clynnog oedd 'man canol' ei grwydriadau. Yno, os yn rhywle, yr oedd ei galon. Yno hefyd yr hunai ei gyndadau. Gwyddai'n burion ymhle y câi groeso. Dywedid y byddai'n *cael bob dim gan Nel, Brysgyni Ganol*, gwraig nodedig o hael a charedig. Roedd ei gŵr, Owen Price Thomas, yn gefnder i John.

Galwai'n achlysurol hefyd yn Hafod-y-Wern, weithiau ar ei ffordd o Ben'rallt gerllaw, lle gweithiai ambell dro gan aros yno am rai dyddiau. Un tro, daeth i Hafod-y-Wern a hithau'n ddiwrnod dyrnu yno, ac wedi i'r dynion wledda a dychwelyd at eu gwaith, sodrodd John ei glun wrth y bwrdd a chladdu platiad da o ginio poeth. Yna daeth ei ffefryn i'r golwg – powlenaid fawr o bwdin reis. Cafodd bowlenaid arall, ac yna trydedd powlenaid nes methai â chwythu bron. Droeon eraill, yn arbennig ar dywydd braf, hoffai gael ei fwyd ar y stelin laeth yn y cowrt.

Yn ôl Elizabeth C. Ellis, Gelliffrydiau, Nantlle, byddai crwydriaid yn cyrchu i'r Gelli er erioed, a chaent fwyd fel pawb arall yno. Roedd John Preis yn eu mysg. Ond roedd o'n wahanol i'r lleill. Ni feddylient amdano fel crwydryn, roedd o'n debycach iddyn nhw eu hunain, o'r un gymdogaeth, o'r un cefndir ac yn adnabod yr un bobl.

Soniais am Neigwl Ganol ym mherfeddion gwlad Llŷn. Dywed Elizabeth Parry y byddai *llawer o grwydriaid yn dod yma ers talwm –*

mi fyddai ganddyn nhw eu llefydd. Roedd yma rhyw ganolfan ganddyn nhw.

A John Preis?

Roedd o'n hollol wahanol i'r lleill. Rwy'n cofio rhoi bisgedi iddo un tro – rhai da – ac ynta'n eu lluchio nhw dros ben clawdd.

Ym Meddgelert

Felly buo hi hefyd pan alwodd John yn nghartref Prys Roberts, Beddgelert. Roedd wedi hen arfer a galw yno, a châi lond piser o de efo brechdan a chacen bob tro. Yn fuan wedi'r rhyfel, a hithau'n ddydd Sul, a dogni bwyd yn dal mewn grym, roedd gwraig Prys wedi cael gafael ar ddarn o'r cig eidion gorau. Roedd y teulu wrthi'n gwledda'n hamddenol arno pan ddaeth John Preis i'r golwg a cherdded yn ddiseremoni i'r gegin gefn. Yn freintiedig iawn, cafodd frechdanau bîff blasus a llond mwg o de ac fe'i gadawyd i'w *mwynhau wrth y tân yn y gegin, ac aethom ninnau'n ôl at ein cinio.*

Toc, gwelwyd John yn gadael heb ddweud na bw na be na diolch, ac fe'i gwelwyd yn lluchio'r brechdanau dros ben clawdd i'r cae. Gwylltiodd Prys a rhedodd allan o'r tŷ, gafael yng ngwar *yr hen sglyfath* a'i sgyrtian yn iawn am ei anniolchgarwch a'i ddiawlineb. Fe'i heliwyd i lawr y lôn am bentref Beddgelert.

Galwai John hefyd gyda Mistar Briggs yng Ngwesty Penygwryd, man cyfarfod enwog dringwyr a cherddwyr, ond llenwi ei biser â the oedd yr unig nawdd a gâi gan y gŵr hwnnw. Wedi'r cyfan, onid *un o'r rhein* oedd y dyn Briggs? P'un bynnag, gwell, a llawer mwy proffidiol i John, fyddai ei 'nelu hi am rai o ffermydd cartrefol a chroesawus Nant Gwynant is-law.

Cysgu'n sownd

Ni faliai John rhyw lawer ym mhle y cysgai. Cael rhoi ei ben i lawr oedd y peth pwysig. Fel hyn! Aeth cigydd Sarn Mellteyrn i ffwrdd i rywle am ychydig ddyddiau, gan adael ei gi, clamp o Alsatian cydnerth, i warchod ei eiddo. Pan ddychwelodd, cafodd sioc ei fywyd. Roedd yr hen gi'n cysgu'n braf ac yno hefo fo, yn y cwt, roedd John Preis, a'r ddau gysgadur, yn amlwg, yn ffrindiau mawr. Ie, y ci a'r cadno'n cydgysgu yn y cando!

Cael ymborthi

Byddid yn rhoi pob math o fwyd i John, gan gofio, wrth gwrs y lluchid cyfran dda ohono'n aml iawn yn gwbl anniolchgar ganddo i'r domen dail neu dros ben clawdd.

Galwai John yn Hafod Lwyfog, Nantgwynant, pan oedd Nanette Williams (Mynytho) yn byw yno. Cysgai yn y beudy i lawr y lôn ac yna deuai at y tŷ *am damaid i'w fwyta – bara llefrith a phaned fyddai'r 'menu' bob amser*. Un tro addawodd ddod â sosej iddynt o Borthmadog! Ond pan ddaeth, nionyn oedd ganddo ar eu cyfer!

Fe'i cofir gan Mary Enid Jones, Stoke-on-Trent, yn dod i'w chartref, Brynafon yn Nefyn, yn rheolaidd. Cadwai ei mam lety ymwelwyr yno. Byddai'n falch o gael rhoi ymborth i'r hen John ac yn hael wrtho. Curai hwnnw ar ddrws y cefn bob amser, ac fe lenwid ei dun triog melyn *Tate & Lyle* efo te, gan ofalu rhoi siwgwr a llefrith ynddo. Yna câi duniad o gacenni a dyrnaid o arian mân yn ei dun baco. Rhywbeth yn debyg oedd hi yn y rhan fwyaf o'r llefydd a dosturiai wrth John Preis.

Yn ôl Dora Richards, Cemais, o Aber-erch yn wreiddiol, *fe wyddai'n iawn lle roedd gwir garedigrwydd a chariad i'w gael. Yn wahanol eto i bob tramp arall, ni fyddai John byth yn begera, yn curo'r drws a gofyn am gardod. Fe wyddai ble roedd ei libart yn iawn; byddai ganddo ei gadair a'i bowlen ac fe fwynhai ei bryd fel pe bai'n aelod o'r teulu.*

Poen yn ei fol

Melys cwsg, potes maip? Ddim bob tro.

Saif Tyddyn Tylyrni rhwng Nanmor a Llanfrothen yn Eryri ac yno, ym mlynyddoedd y pumdegau, y trigai Huw Roberts a'i deulu. Magwyd Huw, fel John Preis, yng Nghapel Ucha Clynnog, ac roedd y ddau'n adnabod ei gilydd yn dda. Felly, câi John bob croeso yno. Ceid yn Nhyddyn Tylyrni berllan ardderchog a'r coed yn drymion gan afalau, gellyg, eirin bach ac eirin Fictoria, a mynd mawr ar y cynnyrch.

Un Awst poeth, a Huw yn brysur yn y gwair, gwelodd 'rhen Breis yn cyrraedd ac yn ei 'nelu hi'n syth am y berllan. Bu yno am sbel yn hel ei fol fel y mynnai o ffrwyth y ddaear hael, ond wedi ei wala a'i weddill bu'n rhaid iddo 'dalu' peth amdano trwy ymroi i gribinio yn y cae gwair. Rhyw awr yn ddiweddarach gwelid gwraig garedig y lle yn dod i'r cae hefo'r te. Rhuthrodd y barus John Preis am y piser llaeth enwyn a llowcio'n dra helaeth ohono. Gwaetha'r modd roedd wedi hen anghofio am y llwyth mawr o eirin a lyncodd gwta awr ynghynt! Yn fuan, fe'i gwelwyd yn ei gwneud hi am y tŷ gwair, yn griddfan a 'stachu, ac yn tuchan ei fod yn swp sâl. Pan aeth Huw â phaned iddo'n ddiweddarach, dyna lle'r oedd John druan yn rowlio'n y gwair mewn poen dirfawr.

Brensiach annw'l, ti'n sâl go iawn!

Sâl fysat titha'r diawl 'sa ti 'di byta'r hen sglyfath eirin bach 'na ac yfad yr hen sglyfath lla'th enwyn 'na ar 'i ôl o. Ooooo! 'mol i!

Lledwigan

Mae hanes Lledwigan, ffarm pur fawr ar gwr ffordd yr A5 ger Llangefni ym Môn, yn hynod o berthnasol yn achos John Preis, ac, yn wir, yn achos pob crwydryn arall yn ogystal, gan gynnwys rhai o Iwerddon, megis Charlie Dunn a Michael Gannon. Yno roedd cartref William a Nanni Jones. Yma ceid cartref croesawus arbennig ar gyfer crwydriaid, a hynny mewn adeilad pwrpasol a elwid yn *gwt tramps*, lle caent ryddid i gymdeithasu â'i gilydd. Ond roedd yna un rheol. Gwaherddid smocio'n llwyr! Oherwydd hynny, elai'r smocwyr oll i'r hen Odyn Galch ar gyrion Cors Ddyga (Cors Tygái) rhyw led cae o'r tŷ, ac yno hefyd y byddent yn cael rhyw damaid i'w fwyta, gan y ceid yno, wrth gwrs, le tân.

Ymysg y criw brith yma, roedd yna un oedd, os rhywbeth, yn frithach. Fe'i gelwid gan bawb yno, *Y Baw*, hynny, mae'n debyg, oherwydd ei fynych ddefnydd o'r ymadrodd *hen sglyfath faw* am bethau derbyniol a *hen docyn baw* am yr heddlu. Ond er cymaint y baw, fo, yn wir, oedd seren y cwmni. John Preis, wrth gwrs, oedd ei enw iawn.

Crwyn drewllyd

Un tro, roedd Y Baw yn drewi fel buria, yn llawer iawn gwaeth nag arfer, ac ni allai undyn fynd yn agos ato. Dywedid ei fod wedi cyrraedd Lledwigan yng nghefn lorri arbennig – lorri oedd yn cario crwyn gwartheg ar ei ffordd o'r lladd-dŷ i ffatri grwyn Hugheston Roberts yng Nghaernarfon. 'Dwn i ddim pwy oedd yn gyrru'r lorri y dwthwn hwnnw, ond bu Sam Evans, Aberdesach (gynt o Gapel Ucha), gyda'i lorri ei hun, yn cario rhai llwythi o grwyn i gwmni'r ffatri hon. Byddai'r oglau yng nghefn y lorri bryd hynny'n annioddefol, yn ddrewdod na ellid ei ddychmygu bron.

Un tro, ar achlysur gwahanol, pwy welwyd yn cerdded o gyfeiriad Caergybi ond John Preis, ac yn ôl ei arfer fe'i codwyd gan Sam. Ond nid oedd lle, yn digwydd bod, i John yng nghaban y lorri, a bu'n rhaid iddo deithio ymysg y crwyn yn y cefn. 'Doedd hynny'n mennu dim ar John, wrth gwrs.

Yn Y Gaerwen gwelwyd heddlu – *yr hen docyn baw* fel y galwai John hwynt – ac yn ei gasineb a'i baranoia ymguddiodd John rhagddynt yn yr unig le posib, sef o dan y crwyn a'u drewdod ffiaidd. Ar gyrraedd ohono Gaernarfon yn ddiogel, daeth John o'i guddfan gan lawenhau ei fod, nid am y tro cyntaf, wedi llwyddo i osgoi gwg *yr hen docyn baw ddiawl*, a chwarddai'n ddilywodraeth wrth ei ystyried ei hun mor glyfar. Ond os oedd o wedi llwyddo i wneud hynny, ac er ei fod, yn ei gyflwr naturiol yn drewi fel ffwlbart, roedd o rŵan, o ganlyniad i hanner awr dan docyn baw gwahanol, yn drewi fel saithugeinmil o ffwlbyrt.

Pan oeddwn yn hogyn yn Ysgol Ramadeg Pwllheli ym mlynyddoedd y pumdegau, cofiaf weld rhywbeth rhyfeddol tra'n eistedd yn llofft dybl-decar y Moto Coch ar y Maes yn disgwyl i hwnnw danio a gadael y lle am Drefor. Dyna pryd y'i gwelais, neb llai na John Preis, yn gorwedd

yn braf yn nhrwmbal lorri oedd ar gychwyn o ladd-dŷ'r dref ar gwr y
Maes, lorri oedd â'i llond o grwyn drewllyd anifeiliaid ac ar ei ffordd i
Lerpwl. Meddyliwch! Âi John yr holl ffordd i fan'no yn gorwedd teirawr
ar, ac yn, y fath wely anghynnes.

Ynghanol budreddi

Ar un wedd ni fyddai waeth gan John fod yng nghwmni anifeiliaid, ac
ynghanol eu baw. Cysgodd yn eu plith gannoedd o weithiau, boed yn
ddefaid, gwartheg, lloi, ceffylau, llygod (bach a mawr), a hyd yn oed
foch. Cafodd ei gario bellteroedd ynghanol llwythi o wartheg a defaid
a chrwyn, ynghanol pibo a baw a biswail laweroedd. Roedd budreddi
anifeiliaid yn rhan annatod o'i ddrewdod.   Annatod yn wir. Aeth o
sir Gaernarfon cyn belled â Lerpwl fwy nag unwaith yng nghefn lorri
wartheg neu lorri grwyn, yn ogystal ag yng ngwres caban clyd tancer
laeth Rhydygwystl.

Lledwigan eto

Fel rheol, rhywbryd yn nhymor yr hydref y deuai John i Ledwigan.
Ond byddai'n osgoi William Jones, y gŵr caredig roddai iddo fwyd a
lloches, a hynny oherwydd fe'i gorfodai i ymolchi. Rhyw dri thramp
fyddai yno ar y tro, ond roedd John Preis, fe ddywedid, *yn ormod o ŵr
mawr* i gysgu hefo nhw. Haws credu efallai mai ceisio osgoi yr iaith fain
oedd o, yn un a fagwyd yn Gymro uniaith ym mhlwy Clynnog Fawr. Yn
y beudy neu'r tŷ gwair y cysgai mei lórd. Yna'r ymborth, ac os ymborth,
ymolchi. Dyma Beti Roberts, Pen-y-bont ar Ogwr, merch Lledwigan, yn
disgrifio'r perfformiad:

Dŵr a sebon

*Pan fyddai ar John Preis angen rhywbeth, mi ddeuai at ddrws
y cefn a'i guro'n uchel. Os mai 'Nhad ddeuai i'r drws, fel hyn yr
arthiai John: "Lle ma' HI?" – arwydd ei fod o eisiau bwyd oedd
hynny. Mi wnai Mam bryd o fwyd iddo bob tro. Yn y briws, lle'r
oedd y dynion yn byta roedd 'na wensgot. Yno y byddai'n ymolchi.
Byddai'n cael dwy bwced – un enamel werdd ac un enamel wen.*

Byddai'n gorfod tynnu oddi amdano a byddai Mam wedi trefnu
dillad isa glân ar ei gyfer bob tro, a sebon Fairy iddo. Ac mi fyddai'n
cael ordors i olchi ei ddillad a'u hongian dros y bin (math o balis)
lle'r oedd y gwartheg. Ond ni fyddai John Preis byth yn gwneud
hynny! Gan amlaf byddai wedi rhoi rhyw lyfiad cath o gwmpas ei
drwyn, wedi taflu'r dŵr a'r sebon i gyd dan y gwartheg, ac wedi
mynd erbyn y bore.

Llygod mawr

Pan ddeuai John ar ei hald i'w hen gynefin ym mhlwy Clynnog, byddai'n aml yn ei 'nelu hi am feudái Tŷ Isa yn agos at waelod Allt Mur Sant, yr allt serth honno sy'n arwain o bentref Clynnog i fyny i Gapel Ucha. Roedd yr adeilad yn gynnes pan fyddai'r gwartheg yno, ac yn lle braf – i John, felly – i gysgu ynddo. Ond sylwodd rhywrai y byddai John yn cysgu yno hefyd pan na fyddai'r gwartheg yno. Bryd hynny, ni fyddai gwres yn y lle. Sylwodd y ffarmwr, Robert Elias, ar rywbeth arall yn ogystal. Byddai'n cysgu, nid yn ymyl preseb, ond ar ganol y llawr, yn union gyferbyn â'r drws er gwaetha'r rhewynt miniog a ddeuai dan y drws. Nid oedd ond un eglurhad dros hyn. Dyna'r unig fan yn yr holl feudy y câi John lonydd rhag y llygod mawr oedd yno, gan mai gyda'r waliau a thrwy'r cilfachau y byddai rheini'n tramwyo. Dywedid hefyd y byddai'r gwynt dan y drws yn sychu ei ddillad.

'Doedd y ffaith bod John Preis yn cysgu yno ddim yn plesio rhai o ferched pentref Clynnog gerllaw, a cheisiodd un ohonynt gael gan y ffarmwr i'w wahardd oddi yno, rhag i'r ffarmwr hwnnw, meddai hi, gael ei ddal yn gyfrifol am dalu am gladdu John pe'i ceid yn farw yno. Dyna oedd ei hesgus. Anwybyddodd y ffarmwr y siars. Bu farw'r wraig honno 'mhen amser, ac yn eironig ddigon, bu John fyw ddeng mlynedd ar hugain ar ei hôl!

Glanweithdra

Gydol ei oes bu ymolchi yn anathema i John. Byddai'n gas ganddo ddŵr a sebon a chadach. Pan alwai ym Mraich Dinas, Cwm Pennant, rhoddid llond twb o ddŵr iddo gael sgrwb iawn. Byddid yn cadw hen ddillad yn eirin yno bob amser ar gyfer ymweliadau dirybudd John. Er hynny, digon anniolchgar a dibris oedd hwnnw o garedigrwydd gwerin gwlad tuag ato. Gofynnodd rhywun iddo un tro, *Faint o'r gloch maen' nhw'n cael brecwast ym Mraich Dinas, John?*

Atebodd yntau'n ddigon pigog.

'Does 'na ddiawl o ddim i'w gael yn fan'no ond rhyw hen sglyfath o ryw hen 'folchi 'sdi.

Rhywbeth yn debyg, efallai, fyddai ei ymateb greddfol pe sonnid wrtho am dŷ'r Ffatri yn Rhydygwystl ar lan afon Erch. Ond mae'n ddigon tebygol na fyddai'n erbyn ymolchi yn fan'no, credwch neu beidio. Rheswm da paham!

Mae Ellen Ann Griffiths yn ei gofio'n dod yno gyntaf yng nghanol blynyddoedd y tridegau ac yn cael bwyd yno. Bu ei thad yn byw am gyfnod pan yn hogyn yn Nhai'n Lôn yng nghyffiniau Capel Ucha Clynnog ac roedd yn adnabod John yn bur dda. Ond roedd cyflwr 'rhen John erbyn hyn yn ddolur llygad i ferch y tŷ, ac un haf hirfelyn cafodd y syniad o gynnig arian iddo petai'n ymolchi. Bryd hynny roedd dau hanner coron (25c yn ein pres ni heddiw) yn swm da o arian, a châi John yntau gryn dipyn o faco am hynny. Roedd hi'n ormod o demtasiwn iddo wrthod, a chytunodd.

> Rhoddais ddŵr cynnes a dipyn o sebon mewn pwced-bwydo-moch lân ar y fainc lechen allan yn y cefn. Yn ôl fy ngorchymyn, ymolchodd yn lân. Yr oedd yn dadwisgo (ond ei drowsus) a gwisgo amdano yn y cwt wrth ymyl y tŷ, ac yn cael dillad isaf glân, oedd wedi eu cadw iddo ar ôl y dynion.

Yr orchwyl nesaf, wrth gwrs, oedd cael gwared â'r hen ddillad, y rheini'n fudron ac yn drewi. Ei brawd-yng-nghyfraith gafodd y gwaith hwnnw, a hynny hefo fforch deilo – mynd â nhw dros y ffordd a'u llosgi ar lan yr afon.

> Cafodd ddau hanner coron gennyf amryw o weithiau wedyn am 'molchi.

Dim ond mewn ambell le y byddai John yn fodlon cymryd bath go iawn. Un o'i 'faddondai' rheolaidd oedd hwnnw yn Llaethdy Brynmor yn Chwilog lle câi orwedd (â'i gap am ei ben, 'dwi'n siŵr) mewn bath yn y cefn a chael ei socian ei hun am y tro cyntaf ers misoedd lawer. Bu G.S.Griffiths, Brynmor, fel aml i gymwynaswr arall, yn hael a charedig tuag at yr hen grwydryn.

Fel myharen

Mae'n debyg mai'r olchfa ryfeddaf a gafodd John Preis oedd honno pan ddaeth y clwy traed a'r genau i ardal Llanrug ym 1957. Yn unol â rheoliadau'r Weinyddiaeth Amaeth, neu'r Wâr Ag fel y'i gelwid bryd hynny, roedd gwaharddiadau llym mewn grym. Deallwyd fod John yn y fro a bu'n rhaid cael yr heddlu i'w ddal. Tynnwyd pob cerpyn oddi amdano a'i drochi, fel myharen, mewn bath o dip defaid. Yna fe'i cludwyd, fel oen i'r lladdfa, i'r rheinws ym Mhwllheli – yn ddigon pell o Lanrug – i'w sychu a'i ymgeleddu. Fe'i gwisgwyd o'r newydd cyn ei ollwng yn ei ôl i'w gynefin ar y priffyrdd, a dywedir bod llawer o bobl yn amau o ddifrif ai John Preis oedd y dyn a welent gan mor lân a thrwsiadus ydoedd.

Byddai'n falch o bob cerpyn a gâi, yn enwedig yn y gaeaf neu pan fyddai wedi gwlychu. Ni ddiolchodd erioed amdanynt. Ambell dro byddai dilledyn go ddiarth, a hyd yn oed rhyfedd, amdano. Cofiai John Evans, Braich Dinas, am rywun yn dweud iddo weld John Preis ym mart Llangefni yn gwisgo trowsus cwta, a'i goesau'n dduon o gol-tar!

Y gadair ddu

Er ei fod yn hynod o fudur, ni hoffai i neb edliw hynny iddo. Cefais stori fach dda amdano gan Dorothy Williams, Caernarfon, merch Caeau Brychion, Pwllheli, yn dangos pa mor goeglyd y gallai John fod.

> *Roedd Mam yn brysur yn golchi dillad ... bryd hynny â llaw mewn twb gyda mangl. Defnyddiai hen gadair, oedd yn 'whitewash' i*

gyd ac wedi colli ei chefn, i roi'r twb golchi arni. Ar ei ymweliad
cafodd John fwyd a diod, ac estynnwyd y gadair heb gefn iddo.
Bryd hynny nid oedd John yn rhy lân ac roedd yn awyddus i gael
mynediad i'r tŷ. Oherwydd ei gyflwr nid oedd Mam am ganiatáu
hynny. Wedi i'r gadair gael ei rhoi i John, tynnodd ei gap a sychu'r
sêt hefo'r cap cyn eistedd. [Roedd hyn] cystal â dweud, er ei fod yn
drempyn a ddim yn rhy lân, nid oedd yn haeddu eistedd ar gadair
doredig ac yn 'whitewash' drosti.

Coedtyno

Un o brif gyrchfannau John Preis fyddai ffarm Coedtyno, Capel Ucha,
lle trigai Robert ac Ellen Lewis. Nhw ill dau arferai gadw'r siop yng
Nghapel Ucha cyn symud i Goedtyno. Fel y nodwyd eisoes, roedd tair
chwaer Robert Lewis yn gyfoedion ysgol i John, ond roedd Robert ei
hun rai blynyddoedd yn fengach na'i chwiorydd.

Nyrs Ardal Clynnog Fawr oedd Ellen Lewis ac yn hynod fawr ei
pharch yn y gymdogaeth. Roedd John yn ei hedmygu'n arw, ac roedd
ganddo ffydd ynddi, a phan na fyddai'n teimlo'n dda, ati hi y byddai'n
troi am ymgeledd. Ar brydiau, fe'i llusgai ei hun o berfeddion gwlad yn
rhywle yr holl ffordd i Goedtyno at Nyrs Lewis. Ambell dro – hynny'n
dibynnu ar natur ei salwch – arhosai yno am rai wythnosau. Ond mynd
fyddai ei hanes, yn ddieithriad, unwaith y byddai'n teimlo'i hun yn
dechrau gwella.

Un o gampau mawrion Ellen Lewis oedd cael John i gytuno i ymolchi.
Nid hi'n bersonol gâi'r fraint honno, ac yn sicr nid ymfodlonai John i roi
diferyn o ddŵr ar ei gorffyn. Rhaid yn hytrach oedd i Robert Lewis ei
gŵr, neu Gwyndaf ei fab, fynd â John i'r beudy ynghyd â phwcedaid
o ddŵr poeth a phwcedaid o ddŵr oer. Byddid yn rhoi sgwrfa drwyadl
i John yn y fan a'r lle ac yna'i wisgo mewn dillad glân. Ceid trafferth
garw i roi crys amdano gan y byddai John, fel bob amser, yn gwrthod
tynnu'i gap! Mynnai gadw un llaw ar y cap tra'n gwthio'r fraich arall i
dwll llawes y crys, ac yna ailadrodd yr un gamp gyda'r llawes arall. A
chofiwch, gallai'r hen Breis fod yn eitha cysetlyd ynglŷn â'i ddewis o

grys. O, gallai. Gwrthodai'n lân â gwisgo crys gwlanen oherwydd bod hwnnw'n crafu a chosi gormod.

O edrych yn ôl ar ddigwyddiad o'r fath a chofio am ebychiadau a llwon John, mae'n hawdd chwerthin, ond ar y pryd roedd hi'n stori bur wahanol. Go brin y byddai gan Job ei hun y gras a'r amynedd oedd gan deulu rhadlon Coedtyno.

O'r diwedd

Ond fe gafwyd John, mae'n deg dweud, yn eitha glân at ddiwedd ei oes. Pan aeth Glenys Pritchard, Caffi Gwalia, Pwllheli, i edrych am ryw gydnabod iddi yn ysbyty Bron-y-garth, Minffordd, aeth â chacennau'n anrheg o werthfawrogiad i'r genod a weithiai yno. Meddai un o'r rheini wrthi: *Mrs. Pritchard, mae yma ddyn sy'n eich 'nabod chi.*

Aethpwyd â hi i'w weld, a dyna lle'r oedd y 'dyn' hwnnw, a chap am ei ben, a chetyn yn ei geg, yn eistedd yn braf ar ei wely. *Ond 'dydw i ddim yn ei nabod o. Welis i 'rioed mohono fo o'r blaen.*

Pan glywodd mai John Preis oedd y dyn, roedd hi wedi rhyfeddu. Roedd o mor dwt ac mor lân fel ag iddi fethu â'i adnabod.

Fodd bynnag, 'does neb a wâd nad oedd John Preis, gydol ei oes grwydrol, yn hynod o fudur ac yn hynod o ddrewllyd, ac felly, mae'n debyg, y bydd pobl yn ei gofio. Bu hynny'n loes iddo ar fwy nag un achlysur, ond efallai'n fwy o loes i lawer o'r bobol garedig hynny dosturiodd wrtho. Cofiwch chi, roedd yna lawer i le na châi fynd ar ei gyfyl. Ond ym mhob achos bron, tosturi a thrugaredd gâi'r llaw uchaf. Diolch am hynny.

Llestri John Preis

Cedwid cwpan neu bowlen neu blât, a hyd yn oed gyllell a fforc a llwy, yn arbennig ar ei gyfer, a hynny mewn ugeiniau, os nad cannoedd, o dai ledled Cymru. Cadwyd, hyd y dydd heddiw, nifer dda o'r rhain mewn aml i gartref – *cwpan a phlât John Preis oedd rheina. Mi cadwa i nhw i gofio amdano fo.*

Caed 'powlen John Preis' yng Nghaffi Gwalia, yn Stryd Fawr Pwllheli, a phan alwai John, ei gyfarchiad cynta fyddai: *'Sgin ti 'rhen sglyfath hen gawl 'na?* O reidrwydd ni châi ddod yn agos i'r gegin na'r caffi, na chwaith yn agos at fwydydd y siop, a bodlonai ar eistedd ar y palmant ger stepan y drws yn sglaffian ei fara a chawl. Roedd y cwsmeriaid o Lŷn ac o'r dref yn ei adnabod yn iawn, ond beth feddyliai'r ymwelwyr ohono, tybed? 'Tae hynny o bwys. 'Doedd dim ots gan John amdanyn nhw, nag am neb arall chwaith!

Caffi arall roddai groeso i John ym Mhwllheli oedd Caffi Gelert, yn y Lôn Dywod. Byddai'n arfer gan John fod yn y dref honno bob Ffair Bentymor, ym Mai a Thachwedd, a châi debotiad o de yn y Gelert. Pan oedd Miriam Jones (Eglwys-bach) yn berchennog y caffi, daeth John yno un p'nawn i hawlio'i sgram (am ddim, wrth gwrs!) o de, bara menyn, jam a chacen.

> Un tro roeddem wedi bod yn brysur ofnadwy ac wedi gorfod cau y caffi am ychydig i gael clirio'r byrddau a chael tamaid o fwyd ein hunain. Roeddem wedi mynd i'r gegin i gael ein bwyd, ac wedi gadael 'rhen John i ddarfod ei de – roedd y lle'n wag ar wahân iddo fo, bellach.
>
> Toc, clywsom sŵn llestri'n malu'n ufflon a dyna redeg i'r caffi, a dyna lle'r oedd 'rhen John a dysgliad o jam a llwy yn ei law – roedd wedi bod rownd y byrddau i gyd, yn bwyta popeth oedd ar ôl, a bag o dan ei gesail yn llawn o fara menyn a chacennau a'i geg yn jam o glust i glust.
>
> Wel, dyna ddweud y drefn wrtho a dweud na châi ddod ar gyfyl y Caffi wedyn. Ond dod fyddai'r hen John, a ninnau'n dal i roi te iddo, gan ei warnio rhag gwneud yr un peth eto. Chwarae teg iddo, mi gadwodd at ei air ...

Penderfynol

Fel hyn y sonia Tyrchwr Bethel amdano.

> Rhydau, Llanddeiniolen oedd ein cartref ni. Câi groeso yno. Ond un diwrnod pan welodd fy mam John Preis yn dod yn y pellter,

dyma hi'n gorchymyn i mi: "Cau'r drws! 'Does gen i fawr o amser iddo heddiw".

Dyna John yn curo'r drws. Pan welodd nad oedd neb yn ateb, dyma fo'n gweiddi: "'Dwi'n gw'bod dy fod di yn yr hen sglyfath hen dŷ 'na."

Pan welodd nad oedd yna ateb wedyn, trodd ar ei sawdl. Ond beth welodd o ond dillad ar y lein. Aeth at y lein a chymryd sanau fy nhad oddi arni. Pan welodd fy mam hyn, dyma hi'n rhoi bloedd i ddweud wrtho am adael llonydd i'r dillad.

A dyma'r ymateb a gafodd. "Ro'n i'n gw'bod dy fod ti yn yr hen sglyfath hen dŷ 'na!". A do'n wir, cafodd John lond ei fol o fwyd wedi'r cyfan.

Cerbydau'n drewi

Byddai gyrwyr cerbydau a lorïau, ar un wedd, yn gwaredu rhag rhoi pas i John Preis. A'r wedd neilltuol honno, wrth gwrs, oedd ei ddrewdod. Ond roedd yn werth yr 'aberth' – gan ambell un – er mwyn cael gwrando arno'n mynd trwy'i bethau. Ambell dro camai'n dalog i gar neu lorri; dro arall, gwrthodai'n lân. Mympwy reolai ei hwyliau.

Un tro fe'i codwyd gan ferch ifanc ger Wern Bach, Pontllyfni. Roedd John yn drewi'n gythreulig. Ebe'r lodes, yn rhyw led-ymddiheurol, wrth feddwl am geisio cael gwared â pheth o'r oglau,

Mae hi braidd yn boeth yma, John. Mi agorai'r ffenast yn llydan.

Atebodd John yn syth.

'Dwi'n iawn, 'sdi, ym mhob man, 'sdi.

Cil y ffenast yn unig a agorwyd, a theithiwyd mewn swigen o ddrewdod yr holl ffordd i Fangor.

Wrth basio Ysbyty Môn ac Arfon, gorfoleddodd John Preis.

'Dwi wedi bod yn yr hen le 'na lawar gwaith 'sdi, a 'di dengid allan gefn nos – fedrwn i ddim diodda'r sglyfath lle a'i hen gonsýrns piblyd!

Sonia Wyn Williams o'r Fron am ei dad yn rhoi reid i John yr holl ffordd o'r Rhyl i Gaernarfon. Oedd o'n difaru gwneud hynny, tybed?

Bu'r cab yn drewi am ddyddiau wedyn.

Y Moto Coch

Fe ddywedir mai Leusa Tyddyngarrag, mam John Preis, oedd y gyntaf yn yr ardal i gwyno am y diffyg cyfleusterau oedd yna, yn arbennig yng Nghapel Ucha, wrth gwrs, ar gyfer cludo pobl i Gaernarfon a Phwllheli. Hi gaiff ei henwi fel yr un y gellid ei disgrifio fel yr hedyn bychan cyntaf un yn hanes sefydlu Cwmni Moduron Clynnog a Threfor, y Moto Coch enwog. Mae rhywbeth yn eironig mai ei mab hithau a gerddodd fwyaf o filltiroedd drwy holl Gymru am ddegawdau o flynyddoedd a hynny yn awr anterth y cwmni bysus.

Serch hynny, ni anwybyddwyd y Moto Coch gan John chwaith. Fe'i defnyddiodd yn bur helaeth a chwbl ddidâl i arbed ei goesau ar Allt Mur Sant a gelltydd eraill serth ucheldir plwyf Clynnog, gan ddibynnu llawer ar hen, hen gyfaill iddo oedd hefyd yn frodor o Gapel Ucha. Pwy oedd hwnnw, tybed, a'i codai oddi ar y lôn ble bynnag y'i gwelai?

Dic

Rhyw led pump o gaeau bychain o Dyddynygarreg safai Tŷ Gwyn, ac yn y lle bach hwnnw y magwyd Richard Williams, un o gyfoedion bore oes John Preis, ac a ddaeth, wedi prifio ohono'n ddyn, y gyrrwr enwocaf a gafodd y Moto Coch yn ei holl hanes. Galwai pawb ef yn Ddic Moto Coch, a thyfodd rhyw chwedloniaeth ryfedd o'i gwmpas, yn union fel yn hanes John ei hun. Mae yna doreth o straeon difyr a dwys am Dic, ac fe sgwennais beth o'i hanes a'i helyntion yn y llyfr *Moto Ni, Moto Coch* a gyhoeddwyd yn 2012 i ddathlu canmlwyddiant y Cwmni. Hefyd cyhoeddwyd, gan *Wasg Utgorn Cymru*, gryno-ddisg o hanes Dic, a'r faled amdano.

Arferai gyrwyr a chondyctars y Moto Coch roi rhyw fath o groeso tosturiol i John trwy adael iddo deithio ar y bws nôl a blaen i Gapel Ucha. Ond fel y gellwch ddychmygu, fel arall oedd hi yn hanes llawer o'r teithwyr, yn enwedig y merched. Roedd drewdod John yn gallu llenwi'r holl fws, ac ar brydiau roedd yn waeth na llethol. Ond câi groeso diamod gan Dic bob amser, ac ym mhob man. Bu Dic, oedd rhyw bedair blynedd yn iau na John, yn gymydog iddo a bu'r ddau yn cydchwarae, ac yn cydgerdded i'r ysgol, pan yn blant, gan gadw'r hen gyfeillgarwch hwnnw gydol eu hoes. Dau ŵr oedd â'r un pridd yn drwch Cymreig a gwerinol ar eu gwadnau, ei flas ar eu tafodau ac ar eu prinder rhodres. Do, bu'r Moto Coch, ac yn arbennig bws Capel Ucha gynt, yn noddfa ac yn achubiaeth i John Preis dro ar ôl tro, gydol y blynyddoedd.

Galar

Trigain ac un oedd oed Dic pan fu farw, a hynny yn Ysbyty Môn ac Arfon ar ddydd Gwener y 29ain o Awst, 1958, wedi rhagor na 35 o flynyddoedd o wasanaeth hynod i gwmni'r Moto Coch. Fel y dywedais, tyfodd llawer o chwedloniaeth o'i gwmpas, ac aeth modfeddi'n llathenni, a llathenni'n filltiroedd, a hynny'n aml iawn gan Rhisiart ei hun. Daeth torf enfawr i'w gladdu ym mynwent Llanaelhaearn.

Bu'r golled yn un enbyd i John, ac fe'i teimlodd i'r byw. Y diwrnod y bu farw Dic digwyddai John fod ym Mhen-y-groes, ac yn gwbl ddiarwybod o'r hyn oedd wedi digwydd, aeth i ffarm Garthdorwen. Yno'n ffarmio ar y pryd roedd Robert (Bob) Charles Williams, brawd Dic Moto Coch. Yno y clywodd John y newydd trist.

Bob nos Wener arferai Huw John Jones fynd gyda'i fam i Garthdorwen. Roedd nain Huw, Barbara Jane Jones, Pantafon, yn un o gyfoedion John Preis, a hefyd Dic a Bob, meibion Tŷ Gwyn. Pan gyrhaeddodd Huw a'i fam y lle y noson y bu farw Dic, roedd yr hyn a welodd yr hogyn ifanc yn rhywbeth syfrdanol ac yn olygfa a seriwyd ar ei gof am byth.

Yno, yng nghegin Garthdorwen, gwelodd *ddau ddyn, yn eu hoed a'u hamser, yn beichio crio – y naill wrth un talcen i'r bwrdd a'r llall wrth y talcen arall*. Bob oedd y naill, wedi colli ei annwyl frawd. John Preis oedd y llall, wedi colli cyfaill oes a chymwynaswr glew, ac yn ofni'r gwaethaf na châi fyth eto bas ar *unrhyw fws*. Roedd yna rhyw feddalwch rhyfedd yng nghalon ymddangosiadol galed John Preis yntau.

"Llethol"

Yn ôl at yr ogla. Oedd, roedd drewdod John Preis yn gallu bod 'yn llethol'. Cofia Menna Williams fel y câi John groeso cyson yn ei chartref yn Dre-fain ger Y Ffôr, ei thad, William Pritchard, a'i thaid, Dafydd Jones, wedi gweithio blynyddoedd ar ffermydd. Dyma felly'r feri lle i John Preis gael sgwrs a hel atgofion melys. Ond ni cheir y melys heb y chwerw medd rhyw hen air.

> Yr ogla 'dw i'n ei gofio. Câi ddod i'r tŷ, a llawer tro y bu yno o flaen tanllwyth o dân glo a'i draed i fyny yn y fan honno yn cynhesu, nes byddai stêm yn codi o'i sanau gwlybion, a'r drewdod yn llethol. Roedd yna ddrych uwchben y lle tân a hwnnw'n stemio pan fyddai John yno. Mae'r drych yma o hyd.

Ond druan o'i mam, ddweda i! *Byddai Mam yn brodio ei sana weithia.* Ie, sanau John Preis.

Lleuog ac anghynnes!

Byddai rhai o arferion John yn bur fochynnaidd a dweud y lleia, ac yn fwriadol felly ar brydiau, yn arbennig pan ddoi wyneb yn wyneb â'r *hen docyn baw gachu*, yr heddlu. Roedd yn gwbl argyhoeddedig bod yr heddlu'n ei erlid, hynny'n ei dro yn rheswm digonol dros eu casáu a'u hosgoi, a hyd yn oed eu gwawdio.

Un tro, safai John yn y Groeslon Ffrwd ger Llandwrog. Ond fe welodd blismon yn sefyll gerllaw a meddyliodd sut y gallai styrbio'r *hen sglyfath fotwm gloyw* cyn mynd rhagddo ar ei drafals. Bu'r ddau, fel dau deigar gelyniaethus, yn ciledrych ac yn rhythu ar ei gilydd am rai munudau, *yn taflu rhyw hen olwg ar ei gilydd* ys d'wedai John, y naill fel pe bai'n barod i larpio'r llall.

Yna, stwffiodd John ei law dan glust ei gap a dechrau crafu'i wallt o ddifrif. Yno y buo fo, gyferbyn â'r plismon, yn ddiwyd yn hel llau o'i fwng ac yn eu lladd, lleuen wrth leuen, â'i ewin budur. Yna rhoddai'r llau meirwon fesul un yn ei geg a'u cnoi, ac yn or-amlwg, eu mwynhau.

Daeth y plismon i ben ei dennyn a gwaeddodd arno: *Paid â bod mor 'sglyfaethus, wnei di'r hen gythral bach budur! Rho'r gora iddi i fyta llau!*

Beth oedd ateb John, tybed?

Fy llau i ydyn nhw!

Majestic

Nid dyna'r unig dro, o bell ffordd, i John fod yn ymborthi ar lau. Roedd Ifan Evans, Glanrafon, Llanfaglan, un tro yn sefyll mewn ciw yn disgwyl mynd i'r pictiwrs yn sinema'r Majestic yng Nghaernarfon. Pwy ddaeth heibio i'r fan ond John Preis, a rhwng difrif a chwarae gofynnodd Ifan iddo:

Wyt ti isio dwad i'r pictiwrs, John?

Oes, ebe yntau.

Cyn bo hir a John yn fan'no'n sefyll yng ngwydd yr holl giw, dechreuodd grafu'n ei wallt, a hwnnw'n gaglau anghynnes, dal y llau a'u stwffio i'w geg. Gwaeddodd rhywun,

Mam bach, yli! Mewn difri' calon. Mae'r sglyfath budur yn byta llau.

Dyna sut, yn ôl y sôn, y cafodd John ei hun ym mhen blaen y ciw. Ond roedd ei chwaeth gastronomig ymhell o fod yn *majestic*.

Lleuen grwydrol

Mae'n bur debyg bod John yn lleuog yn barhaus, a'i ben yn heigio o nedd. Byddai ambell i leuen yn gallu crwydro ymhell. Yn y caitsh gwair y cysgai John yng Nghaeau Brychion, Pwllheli, ac ar y ffarm honno penderfynodd un o lau 'rhen Breis fynd ar grwydr.

Un bore, wrth ddanfon ei blant yn y car i'r ysgol, dechreuodd y ffarmwr gwyno bod rhywbeth yn ei bigo'n ei ben. Ar ôl dychwelyd, aeth i gribo'i wallt â chrib go fân a chanfod clamp o leuen ynddo. O ble y daeth hi, tybed? Newydd fod yno'n treulio noson roedd John Preis. Ond yn y caitsh gwair y cysgodd hwnnw. Roedd John, welwch chi, wedi defnyddio sach fel planced, a chyn gadael trannoeth roedd wedi taflu'r sach dros bibell aer odro. Ac o'r fan honno, mae'n amlwg, y syrthiodd yr hen leuen i wallt y ffarmwr druan.

Problemau carthu

Stori arall am John sy'n llawer mwy anghynnes yw honno amdano yn Llyn Gele, Pontllyfni, un tro. Yn y beudy roedd o ar y pryd pan y'i t'rawyd â'r bîb, y deiarîa. 'Doedd ganddo ddim rheolaeth arno, na chwaith unrhyw ots sut olwg oedd arno fonta na'r beudy chwaith. Dywedid bod ei ôl ym mhobman o fewn yr adeilad ac yn y preseb yn arbennig. Fodd bynnag, roedd o wedi hen ddiflannu erbyn y bore a rhywun arall, druan ag o, yn gorfod carthu ar ei ôl!

Problem dŵr

Ym mlynyddoedd cynnar y chwedegau bu John yn cael problemau gyda'i ddŵr, a chafodd lawdriniaeth mewn ysbyty. Ond ni chafodd wared â'i broblem yn hollol. Cofia Dorothy Williams iddo alw yng Nghaeau Brychion yn fuan wedyn a golwg bur wael arno. Roedd hefyd yn ogleuo'n ddychrynllyd, ei lodrau a'i sanau a'i sgidiau yn wlybion, a phenderfynwyd bod yn rhaid ceisio'i ymgeleddu. Yno ar y pryd roedd cyfnither i'w mam, a'i gŵr, o Lwynffynnon, Pistyll, a chyda'u help nhw aed i'r afael â'r hen grwydryn claf. Roedd yn chwith ei weld.

> Roedd Mam yn rhedeg o gwmpas yn chwilio am hen ddillad, sanau a sgidiau i John, tra oedd fy nhad, ynghyd â John a Mari Williams, yn ceisio ei olchi a chael ei sanau oddi am ei draed. Roedd ei sanau wedi glynu yn ei draed. Roedd yr awyr yn las gyda John yn diawlio a bytheirio. Roedd 'na betha' mwy na 'sglyfath' yn dwad allan ...

Gwlyb doman

Nid bob amser, fel y nodwyd, y byddai John yn fodlon cymryd ei godi ar y lôn. Roedd Robert Lewis, Coedtyno, a Robert Parry, Brysgyni, ar eu ffordd adref o gynhebrwng Huw Robert yn Nanmor ger Beddgelert. Wrth ddod i lawr y Rhyddros rhwng Penmorfa a Dolbenmaen, gwelsant

John Preis yn tuthio'r un ffordd â hwy. Stopiwyd yn syth a chynnig ei godi. Ar y pryd roedd hi'n pistyllio bwrw a John yn edrych yn flinedig a digalon. Ond gwrthododd gamu i'r cerbyd. Roedd mewn hwyliau pur ddrwg.

Yn hwyr iawn y noson honno, a theulu Coedtyno yn hwylio i fynd i'w gwlâu, daeth John Preis i'r golwg yn wlyb domen. Roedd pob cerryn amdano yn diferu. Fe'i hymgeleddwyd â bwyd a dillad sychion cyn noswylio'r noswaith lawog honno.

Mae Ieuan Owen, Nefyn, yn sôn am ei dad a weithiai ar ffarm Bodnithoedd ym mherfeddion gwlad Llŷn ddechrau'r 1950au. Y ffarmwr yno oedd Owen Parry, mab Brysgyni, Capel Ucha, a gydfagwyd â John Preis o fewn yr un filltir sgwâr. Roedd y ddau yn hen lawiach â'i gilydd.

Tua amser te yn y pnawn oedd hi, ar ddiwrnod o law trwm, pan welwyd John yn cyrraedd iard Bodnithoedd. Roedd yn wlyb at ei groen. Cafodd fwyd a diod poeth yn ôl yr arfer, ac wedi iddo ei sychu ei hun, a'i ddillad, noswyliodd i'r caitsh gwair i gysgu. Pan aethpwyd i edrych sut oedd pethau arno bore trannoeth, 'doedd dim golwg ohono. Roedd wedi ei heglu hi'n blygeiniol a throchfa'r diwrnod cynt, yn ôl pob golwg, heb fennu dim arno.

Anodd gwybod, ychwanega Ieuan Owen, *sut y cafodd o iechyd i fyw mor hen*.

Am Elernion eler yn union

Lle arall roddai fwyd a lloches i John oedd Elernion yn Nhrefor. Fe'i cofir yn dod i lawr y lôn newydd o gyfeiriad Clynnog a'r gair yn cael ei ledaenu trwy'r pentref fel tân gwyllt bod yr hen Breis ar ei ffordd. Dyna pryd y byddai plant y lle, mwya cywilydd, yn ceisio'i wylltio trwy alw enwau arno. Buan iawn y canfu John bod modd osgoi'r fath wrthuni trwy droi oddi ar y ffordd yn Llwynaethnen a cherdded ar hyd llwybr Cae Bryn ac ar ei ben i Elernion cyn i neb dyn na phlentyn ei weld, a heb orfod dioddef y daith drwy'r pentref a'i blant drygionus.

Do, bu Elernion yn noddfa i lawer crwydryn dros y canrifoedd. Cofiaf i fy mam, a anwyd ym 1914, ddweud wrthyf droeon fel y bu iddi hi, pan yn rhyw dair ar ddeg oed, a nifer o blant y pentref, fynd yn un criw i feudy'r-lôn yn Elernion i syllu'n syn ar gorff rhyw hen grwydryn tlawd a fu farw yno gefn nos. Yn ddiweddar cefais hyd i gofnod o'r digwyddiad alaethus hwnnw yn yr *Herald Cymraeg*, 3 Mai 1927, a dyma fo:

> *Bore Sadwrn, darganfuwyd Mr. Griffith Jones, crwydryn, brodor o Flaenau Ffestiniog, wedi marw mewn ysgubor yn Elernion, Trefor. Yr oedd yr ymadawedig yn 57 oed ac wedi gwasanaethu ei wlad yn rhyfel De Affrica. Yr oedd wedi cael caniatâd i fynd i gysgu i'r adeilad ac yr oedd wedi cwyno wrth yr Heddwas Jones nad oedd yn iach.*

Diwedd trist i fywyd o dristwch, 'beryg.

Peryglon

Roedd bod yn grwydryn o'r fath yn llawn peryglon. Sonia T. Parry, Rhos-cefn-hir, am arwerthiant ffarm yn Eifionydd un bore Sadwrn, a hwythau wedi gorffen gyda'r celfi a'r anifeiliaid ac wedi mynd i'r ydlan i werthu'r gwellt a'r gwair.

Pan oeddent wrthi bu atal sydyn ar y gwerthu. A'r rheswm, er mawr ddifyrrwch i'r dorf? Daeth pen John Preis i'r golwg o ganol y gwellt a golwg ddigon blin arno am iddynt darfu ar ei gwsg. Gwaeddodd yr arwerthwr: *Dewch gyfeillion, dim ond y gwellt heddiw 'ma – 'dydi John ddim ar werth!*

Byddai John yn gweithio rhywfaint – cyn lleied â phosib, wrth gwrs – ar ambell i ffarm. Un tro, roedd yng Nglanrafon, Pontllyfni, ddiwrnod dyrnu. Cafodd ei hun, rhywsut, yn gweithio mewn man breintiedig, ac efallai lled beryglus, ar ben y das yn taflu'r 'sgubau, a phan y'i gwelwyd yn fan'no gan un o feibion y lle, gwaeddodd hwnnw:

Hei, John! 'Dwyt ti ddim yn gyfrifol i fod yn fan'na ar ben 'das!
Ateb John?
Mi basiwn ni.

Tywydd mawr

Yn aml rhaid oedd cysgu'r nos yn wlyb domen wedi oriau o gerdded trwy law neu eira. Byddai misoedd y gaeaf, â'u rhew a'u barrug a'u gwyntoedd miniog, yn lleiddiaid gwancus, a chanfuwyd aml i hen grwydryn tlawd yn farw, fel y Griffith Jones hwnnw, mewn beudy neu ysgubor. Rhyfeddod o'r rhyfeddodau yw fod John Preis wedi byw dros ddeg a phedwar ugain o flynyddoedd ac, yn ôl pob sôn a golwg, wedi cael iechyd pur dda. Er rhoi llwyth o hen bapurau newydd dan ei ddillad ar y glaw, gwlychodd at ei groen ganwaith, fferrodd mewn rhewynt ac ymladdodd yn ddygn yn erbyn yr holl elfennau, haf a gaeaf. *A gurwyd mewn tymhestloedd* oedd hi, reit inýff. Trwy drugaredd, fe'i harbedwyd.

Gŵr Cilcoed

Dywedwyd lawer gwaith, yn ddigon coeglyd, bod gwlychu'n wlyb domen yn y glaw yn lles mawr i John Preis, hynny oherwydd y byddai'n un ffordd o'i gael yn rhywfaint glanach! Mae Owen Williams (Now Cilcoed), Clynnog, yn ddi-flewyn-ar-dafod ynglŷn â'r ddamcaniaeth hon am lanweithdra.

> Roedd o'n piso yn ei ddillad ers blynyddoedd yn fan'ma – dwn i ddim sut ddiawl mae o 'di dal nes bod yn naw deg un 'te ... mi fydda'n licio mynd drw'r glaw. Mi fyddwn i'n meddwl y bydda fo'n g'neud ati 'te – yn y "dirty" y bydda fo'n licio cerddad, trw'i ganol o 'te. Mi fydda fo'n socian.

Ond ceir awdurdod uwch o lawer yn cadarnhau'r ddamcaniaeth bod gwynt a glaw yn ei gadw'n lân – neb llai na John ei hun. Meddai:

> ... wnâi hen dywydd 'y llnau fi wrth bo fi'n cer'ad ... digon o ryw hen wynt a ryw hen wlybania'th amball dro ... yn 'y llnau i. Hen dywydd yn troi a ryw hen lol ddiawl ... mi llneua' ... ryw hen sglyfath ryw hen wynt ne' ryw hen law ryw 'nialwch i ffwr', gwnae, achan.

Ac os câi rywle i stemio a sychu a smocio, a phaned boeth a chornel gynnes, mi fyddai hwyliau go dda arno am sbelan. Byddai ei ddillad yn sychu amdano, fel rheol.

> *Duw, sychan nhw'u huna'n, achan. 'Sycha'r hen 'nialwch i huna'n,*
> *achan. G'naethan, yn 'r Arglwydd Dduw, mi sychan i huna'n.*

Nadolig gwlyb

Mae'r hanesyn hyfryd hwn yn stori Siôn Corn go iawn. Hwylio i fynd
i'r oedfa garolau oedd teulu Glan Llugwy, Nantybenglog, un nos Sul
wleb cyn y Nadolig. Eisteddent yn y car yn barod i danio'r injan a dyna
dwmpath o rywbeth du yn sleifio i mewn i'r porth.

"*Oes gen ti dipyn o'r hen faw hen faco 'na, Edward?*"

Roedd John druan yn wlyb fel dyfrgi, ac nid oedd dewis gan y teulu
– er mawr foddhad i'r plant – ond mynd yn eu holau i'r tŷ i ymgeleddu'r
hen John. Rhoddwyd ef o flaen y tân a'i fwydo â swper poeth, blasus.

> *Wrth y tân y bu trwy'r gyda'r nos yn siarad lol â'r ddau blentyn, un o*
> *bobtu iddo ... byddai dillad John yn sychu ac yn mygu fel stemar am*
> *yr hen greadur, a llyn o ddŵr ar y llawr o'i ddillad gwlyb. Ond yr oedd*
> *wedi gwneud y Nadolig i'r ddau blentyn, a charient bopeth iddo i'w*
> *fwyta. Yr oedd ci llwynog bach o gwmpas ac meddai John yn llawn*
> *athrylith am anifeiliaid.*
>
> "*Mi 'rwyt ti'n berffaith iach, y baw, mae dy hen nosi di'n reit oer.*"
> *A byddai'r plant yn teimlo trwyn pob ci ar ôl hyn os byddai unrhyw*
> *arwydd o salwch arno i weld a fyddai ei "nosi yn oer".*

Athronyddu a stemio yn Loj Trallwyn

Un noson oer a gaeafol, a hithau'n tresio bwrw, swatiai plant Loj
Trallwyn, ger Pencaenewydd, o flaen tanllwyth o dân, yn disgwyl eu
rhieni adref o rywle. Yn sydyn, clywyd sŵn curo trwm ac awdurdodol
ar y drws, a phan godwyd y glicied gwelwyd golygfa drist i'w rhyfeddu.
John Preis druan oedd yno yn sefyll fel morlo dolefus ynghanol y glaw,
ei ddillad yn drymwlybion a'i fymryn locsyn yn diferu fel bargod.

Daeth i mewn i'r tŷ cyn i neb gael cyfle i'w wahodd, gan y gwyddai
bod yno ddrws agored iddo bob amser. Arthiodd yn ddigon blin ac
annifyr:

'Dw i isio hen de a ryw hen sglyfath bechdan. Rŵan hyn!

Sodrodd ei glun ar y gadair ger y setl a chlosio at y tân i g'nesu a sychu. Cafodd baned o de poeth a thamaid i'w fwyta a daeth ato'i hun yn lled dda yn fuan. Ond fel y sychai, fe stemiai, ac fel y stemiai, cynyddai'r arogl anhyfryd o'i groen budr a'i ddillad gwlybion. Mewn gair, roedd yn drewi fel ffwlbart, a'r drewdod hwnnw'n gynyddol annioddefol.

'R ôl claddu'r frechdan a sugno'r te yn swnllyd, daeth gwell hwyliau arno. Yn y man, dechreuodd barablu a chwerthin a chodi ei goesau i'r awyr, a'r newid tempar disymwth yn destun rhyfeddod. Roedd yn llawn gorchest diniwed. A dyna pryd y dechreuodd yr elfen athronyddol ynddo flodeuo. Holwyd ef.

Fuoch chi'n Llundain erioed, John?

Naddo wir, 'sdi. Fel 'r o'n i'n cyrra'dd y sglyfath lle, mi drois i lawr ryw hen lôn bach ac osgoi hen Lunda'n fawr yn gyfangwbwl.

Clywodd y gwynt yn curo'r glaw yn genlli ar ffenast y Loj. Edrychodd i lygad y tân, yn ei ôl at y ffenast, ac eto at y tân. Crychodd ei aeliau mewn ystum myfyriol, meddylgar, ac meddai'n ddwys-wybodus:

Ew, wyddoch chi blantos mai dŵr a thân ydi'r ddau beth cryfa' gewch chi? Wyddoch chi be', blantos? Mi welis i ddŵr yn cario llond cae o datws i ganol y lôn fawr. O, do! Ac mi welis i dân yn llosgi tŷ gwair anfarth yn llwch. O bell y gwelis i hynny, cofiwch. Ia wir, dau beth ofnadwy ydi hen ddŵr a hen dân. Ond dŵr ydi'r mistar. O, ia. Mi ddiffoddith dŵr dân, ond all tân 'neud dim byd i ddŵr – cythral o ddim!

A chydag ymadroddi ac athronyddu o'r fath, cafodd plant Loj Trallwyn, ar noson wleb, aeafol, fodd i fyw am ryw awr neu ddwy. Yna, 'heb frys na braw', diflannodd John i dywyllwch y nos mor sydyn ag y daeth.

Gyda Wil Sam

Byddai Wil Sam wrth ei fodd yng nghwmni John Preis, a cheisiodd gofio a chofnodi ei ymadroddion, ei eirfa a'i regfeydd. Rhywbryd yn niwedd y 1950au, a John bellach yn rhyw ddechrau heneiddio, sylweddolodd Wil y byddai'n hanfodol ei recordio ar dâp cyn iddi fynd yn rhy hwyr. Wyddai neb sawl blwyddyn arall o grwydro oedd gan 'rhen John. Pan gafodd Wil afael ar John roedd hwnnw – diolch byth – ar ei orau ac mewn hwyliau anfarwol, a Wil, gyda chraffter a hwyl, yn gallu tynnu'r mêl o'r diliau. Caf ddyfynnu ymhellach o'r sgwrs arbennig honno pan ddown at sylwadau John am le'r Giás ym Mhorthmadog. Mae'n werth rhoi ar gof a chadw, rhwng cloriau'r gyfrol hon, dalpiau go helaeth o'r sgwrs ryfeddol honno gafwyd ym modurdy'r Crown yn Llanystumdwy, air am air fel y'i recordiwyd dros hanner can mlynedd yn ôl.

JP   *Rhaid imi fynd i lawr i'r ... 'Bercin.*

WS   *O. 'Ti am ginio yn 'Bercin?*

JP   *Wel ... ddiawl – ella ca' i wadna, 'te, ne' drywsus 'sdi ... fydda i ddim gwaeth na thrio, 'n na fydda? Y?*

WS   *'Dyn nhw o gwmpas dy faint di?*

JP   *O, 'di ddim ots gin i 'sdi.*

WS   *O, dwyt ti'm yn malio am betha' felly?*

JP   *'Dwi'n malio dim byd achan.*

WS   *Fel do'n nhw?*

JP   *O, fel do'n nhw, achan. Mi gan' nhw fynd wedyn, 'sdi, 'run ffor' yn union â byddan nhw wedi dwad, 'te.*

WS   *Ia. Petha go galad ydi'r rheina. 'Dyn nhw ddim yn brifo dy draed ti, dwad?*

JP   *Sbïa'n Duw, sbïa!*

WS   *Ia. Nefi, ma' gofyn iti ga'l pedls ...*

JP   *'Sgin ti ddim ryw hen bastwn cythral 'nagoes?*

WS   *Be gawn ni, dwad? Ma' hi 'di mynd yn ddrwg am bastwn 'ma, achan ... mi fydd 'na ddigon o hen bastyna hyd ochor 'rhen ffor' 'na.*

Y Map

Try John ei sylw'n awr at fap go fawr oedd gerllaw a cheir trafodaeth frwd rhwng y ddau am gynnwys y map hwnnw. *Map mawr* oedd hwn (un metal ar gefn drws y garej, os cofiaf) meddai Wil, *o'n i wedi ei gael yn bresant gan Sam Williams yr R.A.C.*

JP   Hen fap 'di'r hen ddiawch hen beth yna, 'te?

WS   Ia.

JP   Yn part ucha 'na ma'r hen Sgotland 'na, ynte? Y?

WS   Ia, ia.

JP   Ryw hen ynysoedd 'di'r hen betha sy' tu allan, 'te?

WS   Rhein i gyd – ynysoedd 'di'r rheina.

JP   Ryw hen warthag bychan sy' ar rheina,'te?

WS   Ia rheina, ia.

JP   Llai na'r hen betha yma, 'te?

WS   Gwarthag bach yn fan'na i gyd, ia.

JP   Cythral o lefydd.

WS   Ti 'di bod yn mynd i fyny ffor' hyn, yli ...

JP   O, yndw, 'dwi 'di bod yn fwy na'r hannar yli – y – ma' raid mod i 'di bod, yli.

WS   Ma' hwn yn fap manwl iawn, cofia.

JP   Iesu, ma' raid bod hwn, tydi? Dwi'm 'di gweld un ru' fath â hwn.

WS   'Na chdi – yn fan'ma rw't ti rŵan, yli.

JP   Ia, dyna fo.

WS   Weli di. Ew annwl, 'ti 'di bod yn mynd i lawr ...

JP   Ia, 'na hi yli.

WS   Yli. Ieswm, ia. Dyna fo'r hen ...

JP   Ma'r ochor yma i Lerpwl yn y canol 'na 'tydi?

WS   Dimbach, yli. Yndi.

JP   Ia, 'na fo.

WS   A dyma fo Lerpwl, yli.

JP   Ia, 'na fo. Ar lan-môr, 'te.

WS   Ti 'di bod yn mynd ar i hyd hi ffor' hyn i gyd.

JP   Ia. A ma' hwn ar lan-môr wedyn, yli.

WS   Yndi, siŵr.

JP   Yndi, yli. O. Ma'r ynyso'dd ar lan-môr hyfyd yndyn, ond bod nhw allan, 'te.

WS   Ia, siŵr, yn y môr, 'te, dipyn?

JP   ... be 'di honna dwad?

WS   Ochor Werddon 'di hwn yli.

JP   Ia, 'na fo.

WS	*Cwr Werddon – cwr bach.*
JP	*A wedyn, faint sy 'na o filltiro'dd, 'te?*
WS	*Ia siŵr.*
JP	*Y? A dyma fo'r hen Ffrainc, 'te?*
WS	*Ia, Ffrainc.*
JP	*Yr hen beth yna'n fan'na.*
WS	*Ia.*
JP	*A dyna fo. Sbïa arno fo. Do's 'na ddim o'no fo, 'sdi.*
WS	*Dew, 'ti'n gwbod yn dda, John.*
JP	*Do's 'na gythral o ddim –*
WS	*Nagoes.*
JP	*A wedyn dyna ti'r hen beth yna'n gwaelod 'na wedyn, 'te ...*
WS	*Ffor' fuost ti isa ffor' hyn 'rioed?*
JP	*Ma' raid mod i 'di bod yn gythral o isal.*
WS	*'Ti 'di bod yng Nghaerdydd, do?*
JP	*Do ... lle o'n i o'r hen Gaerdydd 'na, dwad?*
WS	*Ar ffor' fawr. Argol fawr mi gerddist. Ca'l amal i reid hefyd 'te John?*
JP	*Y? Naddo – cythral o berig.*
WS	*'Na fo, yli, ti'n gweld? Fan hyn oeddat ti yng Nghaerdydd 'te.*
JP	*Ia, 'na fo.*
WS	*'Ti 'mhell gynddeiriog o Ffrainc, yli ... tasa ti wedi cymryd ryw wib go lew ffor' hyn, John, 'sa ti'n Ffrainc ar un waith.*
JP	*B'aswn. Ar yr hen lan-môr 'na fan'na, baswn? Ar yr hen le cul 'na, 'te? 'Di o ddim ond fel ffoes, nag'di?*
WS	*Fel ffoes yn union, John.*
JP	*Ia, yli, mae o'n gulach yn fan'cw.*
WS	*Yndi. Fuon nhw'n sôn am 'neud pont flynyddo'dd yn ôl yn fan'ma. 'Sa 'di costio milo'dd iddyn nhw 'fyd 'sdi ... 'sgin rhein mo'r arian nagoes, John?*
JP	*Nago's yn 'r Arglwydd.*
WS	*Yn 'rhen Fericia, yn fan'no ma'r arian, 'te.*
JP	*Wedyn ma'r hen beth hwnnw isio nhw'n ôl, 'does?*
WS	*Oes.*
JP	*Oes.*

Yn ôl i Ewrop

Wedi trafod cryn dipyn ymhellach am wahanol lefydd a ffyrdd yng Nghymru a Lloegr, try golygon John tuag at Ewrop unwaith yn rhagor. Onid ydi o, wedi'r cyfan, yn arbenigwr ar ddaearyddiaeth y cyfandir 'rôl iddo fod yno'n ymladd drwy gydol pedair blynedd y Rhyfel Mawr?

WS   *Ia, Ffrainc ydi hwnna.*

JP   *Hen gaea Ffrainc 'na o'n i'n 'i weld, ma' siŵr i ti, 'te ...*

WS   *Ia, 'rhen Ffrainc 'na, ia.*

JP   *Duw, 'di honna ddim byd ond yr hen Felgium 'na rhwng Jermani 'sdi ... a wedyn ro'dd Jermani'n cyrra'dd yn uwch i fyny wedyn 'rochor arall, 'te?*

WS   *Petha difyr 'di'r hen fapia 'ma, John.*

JP   *Ia. Ma' hwnna'n un da ...*

WS   *Dimbach, 'Mwythig –*

JP   *Lle ma'r hen Glawdd Offa 'na, rŵan?*

WS   *Dyma i ti un yn fan hyn. Weli di o'n rhedag yn fan'ma?*

JP   *Ia, 'na fo ... ryw hen ochor yn rhedag, achan ... ar ryw hen fflat ... dim byd ond rhyw hen boncan o hen le 'sdi, a rhyw hen goediach hyd'ddo fo ... rhyw hen lefydd gwyllt 'sdi ...*

Ymddengys bod John wedi codi ei olygon a cholli ei le ar y map. Daw ei rwystredigaeth i'r golwg am eiliad.

JP   *Lle ma'r sglyfath cachu 'di mynd dwad? ... yli, dyma i ti'r Low-lands o' Sgotland, yli. Ingland and Wêls wedyn ...*

WS   *... fyddi di'n darllan llawar, John, 'rhen bapura 'ma a ballu?*

JP   *Na fydda i'n Duw ... dydi'r straglars 'im gwerth ... i sbîo arno fo, achan. Sbîa i ddim ar y cachu faw o gwbwl ... 'nialwch ar y cythral i roid o, achan ... 'di o ddim byd ond clwydda a baw ...*

Bwlch yr Oerddrws a'r 'Hen docyn baw'

Wedi peth trafod ymhellach ar anturiaethau rhyngwladol John, mae Wil yn troi'r sgwrs at ei deithiau Cymreig.

WS   *'Na ti le ofnadwy dros 'rhen Ddinas Mawddwy 'na ... 'di cher'ad hi ffor'na, John?*

JP   *Yndw, Duw (gan chwerthin)*

WS	*'Chrynish i tro cynta 'rioed eish i ffor'na.*
JP	*Wel cythral o le 'di o, achan. Mi rowliodd ryw hen bedair olwyn fawr yn fan'na, i'r pant 'na, achan ... dau o'dd ynddi hi ... llanast fuo 'no, achan.*
WS	*Mi goelia i.*
JP	*Mi a'th rhyw hen beth – ryw hen beth mawr – ryw hen bedair olwyn fawr i lawr drosd ryw ochor rwla 'fyd, achan.*
WS	*Ia.*
JP	*Do'n Duw, yn rwla 'na.*
WS	*Ia.*
JP	*Rhyw fus-fusdêc, 'te.*
WS	*Ia, ia.*
JP	*O, be 'nei di 'te – hefo tocyn baw, 'te.*
WS	*Ia.*
JP	*Duw, ma'r tocyn baw yn canlyn bob-peth, achan ... wyddost ti ... pan ma' hi ora, ella bod y tocyn baw yn drysu'r cwbwl, 'sdi (mae'n dechrau chwerthin).*
WS	*Ia.*
JP	*Ia, pan fydd plisman yn dwad ...*

A dyna pryd yr aeth John Preis (a Wil i'w ganlyn, gallwch fentro) i chwerthin mewn modd cwbwl aflywodraethus. Mae'n anhygoel. Mae'n hollol heintus. Mae'n amhosibl peidio â chydchwerthin â nhw. Os chwarddodd neb dyn erioed o waelod ei fol, dyma fo!

Oriog

Ond ni fyddai John Preis bob amser yn chwerthin, na hyd yn oed yn glên. Na fyddai wir! Roedd o'n dalp o oriogrwydd a'i dymer afrywiog yn dibynnu ar lawer o bethau – y croeso, neu'r diffyg croeso, a gâi, y cwmni, y bwyd, y llety, y tywydd, ac yn fwy na dim, efallai, dim byd ond mympwy. Condemniai bobl nad adnabu, a hynny'n ddi-feth a heb unrhyw reswm o gwbl.

Mewn difrif, meddyliwch amdano'n cael pas o Bontllyfni gan rywun caredig ar ddiwrnod dwl ac oer yn niwedd mis Hydref. Bu'n rhaid sdopio'r car o flaen croesfan sebra i ganiatáu i ryw ŵr groesi'r ffordd. Gwisgai hwnnw sbectol haul. Ie, dyn hollol barchus, diniwed a didramgwydd â sbectol haul ar ei drwyn. Ac fe'i gwelwyd gan John; ni allai ymatal.

Yli di'r hen sglyfath drewllyd 'na efo hen betha o flaen i llgada fo!

Mympwy direswm hollol oedd yr unig reswm dros gondemniad absoliwt a didrugaredd John Preis.

Crebwyll gwan ond iaith gref

Wrth gwrs, 'doedd John ddim fel y gweddill o ddynoliaeth. Roedd o'n od ac yn hynod, ys d'wedai Wil Sam amdano, ond roedd rhagor i'r hynodrwydd hwnnw. Y gwir amdani oedd bod yna rhyw lacrwydd bach ar dyndra'r sgriws, a diffyg pur amlwg yn y crebwyll. Amlygid ei ddiffyg addysg elfennol ar brydiau.

Gofynnodd rhyw ffarmwr iddo un tro gyfri defaid iddo, a chlywyd John yn gwneud hynny'n uchel. *Un, dau, tri, pedwar, pump, chwech, saith, wyth, naw, deg, ag un arall, ag un arall, ag un arall* ... hyd at dros bedwar ugain ohonyn nhw'n brefu wrth wrando ar fathemateg ryfeddol eu bugail anwybodus.

Cyfyng hefyd oedd ei iaith, a hynny'n ei dro yn ei gwneud yn ddigri ac yn werth gwrando arni. Roedd yn gwbl, gwbl unigryw. Daeth ei brinder ansoddeiriol yn fodd i fyw i'w wrandawyr, ei iaith yn 'lliwgar', fel y dywedir, ond go brin yn goeth. Gwêl y darllenydd fod yna un ansoddair yn britho'i sgwrs, ansoddair yr oedd John yn llwyr ddibynnol arno. 'Hen' oedd hwnnw, ac fe'i defnyddid ganddo ymron ym mhob brawddeg o'i eiddo. Ar dro, gair yn llawn anwyldeb ydoedd – *yr hen le, yr hen bobol, hen foi iawn*. Ond yn amlach na pheidio, gair llawn dirmyg ydoedd, at ddyn ac anifail, at ffarm a phentref. Yn estyniad i'r coethair *hen* ceid y coethair *sglyfath*, ac yn estyniad i'r estyniad, dri gair coeth arall, *cachu*, *baw* a *diawl*.

Pan 'fudodd Huw a Maggie Roberts o dai Pen-rhiw, Capel Ucha, i fyw yn Llwyn-y-ne, Clynnog, cawsant chwip-dîn eiriol gan John Preis.

I be ddiawl w't ti isio dwad i ryw hen faw hen le fel hyn, d'wad?

'Doedd symud o Gapel Ucha – o bobman – fawr o les i enaid undyn.

Cyn i Edwin Ellis ddod i ffarmio Elernion, bu'n gweithio am gyfnod, yn dilyn cwrs coleg, mewn ffarm yn ochrau Henffordd. Un bore, pwy a welodd yn ei lusgo'i hun i lawr y lôn at y ffarm ond neb llai na'r *hen* gyfaill, John Preis. Roedd golwg y cythraul arno, yn waeth nag arfer, fel pe wedi'i dynnu drwy ddrain.

Bobol bach! Be di'r olwg s'arnat ti, John?

Hen faw o hen gŵn yn yr hen sglyfath hen le 'na 'di 'mosod arna i.

Ie, y cŵn a'r lle yn *hen* gynddeiriog.

Ei gyfarchiad cyntaf yn Siop Penbodlas yng Ngarnfadrun fyddai: *'Sgin ti hen sglyfath hen fechdan ga' i?* Ac wedi iddo gael ei frechdan (a'i gacen a'i ddiod), âi i fyny'r lôn i'w bwyta gan orwedd yn braf yn nhîn clawdd. Ond trodd John ei drwyn ar y rhan fwyaf o'r ymborth gan ei daflu ymaith i ganol y gwrych! *Hen*, *hen* arferiad ganddo.

Y rhegwr

Rhegai John fel Belsebwb gan godi ofn ar barchusion byd a betws, yn enwedig y betws. Pan bregethai'r Parchedig John Llywelyn Hughes, Porthaethwy, yng nghapel bach Cwm Pennant, fe letyai ym Mraich Dinas. Un tro, digwyddodd John Preis fod yno'r un pryd, ond ei fod o, siŵr iawn, yn cysgu yn y beudái.

Sylwodd y pregethwr yn syth nad oedd y rheg leiaf yn dod o enau John pan fyddai hwnnw wyneb yn wyneb â'r goler gron, ac fe'i canmolodd yn arw wrth William Pritchard (Pennantfab), ei letywr. Ond gwyddai hwnnw'n well, ac meddai wrth y pregethwr. *Aros di tan bora fory ac mi glywi di iaith bur wahanol.*

Gwir y gair. Cododd John Preis gyda'r wawr, gan regi a rhwygo hyd y buarth. Dychrynodd y parchedig bregethwr i'w sodlau, a methai'n lân â chredu bod y fath gyfnewidiad, a'r fath regi, yn bosibl.

Yr Hen Sglyfath

Ymddangosodd llythyr difyr iawn yn y cylchgrawn ardderchog a olygir gan Twm Elias, *Fferm a Thyddyn*, oddi wrth Arfon Jones, Caer-sŵs, Powys. Roedd o wedi gadael ysgol ym 1952 a mynd i weithio ar fferm fynydd ei fodryb yn Nhŷ Gwyn, Nant Ffrancon, ar gwr yr A5. Un o lawer o grwydriaid a alwai yno bryd hynny oedd yr un a elwid gan bawb yn y fro yn Hen Sglyfath.

Mewn blynyddoedd cefais wybod mai ei enw iawn oedd John Preis.

Ac os na chafwyd ei enw ef yn iawn, yr un modd, meddai'r llythyrwr, oedd hi gyda phopeth arall.

'Dydw i ddim yn credu i mi ei glywed yn rhoi enw iawn ar ddim byd, ond hen faw, sglyfath; felly y cafodd ei alw yn yr ardal hon.

Cofiai ei weld am y tro cyntaf pan aeth i'r beudy i borthi'r gwartheg un bore yn y gaeaf. Yn nhywyllwch y bore fe'i dychrynwyd gan sŵn rhywun yn siarad y tu mewn i'r beudy.

Beth a welais, yng ngolau'r lanter, ond tomen o dail ar ganol y llawr carthu a'r Hen Sglyfath wrthi'n brysur yn casglu'r tail ac yn damio'r gwartheg.

Dro arall, cyfeiriodd John at ffarmwr prysur yn teilo fel *yr hen ddyn acw wrthi'n chwalu hen sglyfath o faw cachu buwch.* A thro arall dywedai iddo weld cymydog *mewn sglyfath o hen focs matsis ar olwynion*, sef yn gyrru fan.

Glan Llugwy

Sonia Arfon Jones hefyd am ddiwrnod cneifio yng Nglan Llugwy, Nantybenglog, un o ffermydd ucha, os nad yr ucha, yng Nghymru. Ac oedd, roedd yr Hen Sglyfath yno, a'r cwmni o ffarmwrs yn tynnu arno fo. Roedd John mewn hwyliau ac yn traethu'n ddi-baid. Safai ar un goes gan ei chrafu efo troed y goes arall.

Cyn pen dim roedd pob un ohonom wedi mynd i ddechra' crafu!

Pan ddaeth yn awr ginio, aeth John hefo'r dynion at y tŷ am ei gnwswd a chael brechdan letys gan y merched. Fe'i hagorodd yn syth, edrych yn ddirmygus ar ei chynnwys, a'i thaflu dros ei ysgwydd gan ebychu'n flin:

Cadw dy f'echdan kale ddiawl.

Yn ei hatgofion ardderchog a gyhoeddwyd ym 1979, *Oes o Fyw ar y Mynydd*, mae Margaret Roberts, Glan Llugwy, yn sôn cryn dipyn am John Preis. Cofiai ddiwrnod hel defaid i'r caeau isaf pan ddoi swyddog o'r Weinyddiaeth yno i'w cyfri'n fanwl. Caed brecwast plygeiniol wedi'r hel, ond caed cymydog wedi ffrwcsio'n lân hefyd.

Mae'r adwy isaf yn agored cofia, ac mae'r defaid oddi yma i Pen-llyn acw ac yn y ffarm arall.

Ie, *yr adwy yn agored*, a rhywun yn rhywle yn euog o'i gadael felly. Pwy, tybed? Nid oes gwobr am ddyfalu.

Yn sydyn clywem sŵn traed yn llusgo am y tŷ. "Y John Preis 'na, dyna'r cena' agorodd y giât". Ond cafodd Edward ras rhyfedd i ddal rhag ei ysgwyd yn reit dda. Ond bachodd am ei ffon a'r ci ac i ffwrdd ag ef gyda'r cymydog i gasglu'r defaid. Ni chafodd hwy oll a gorfu iddo golli'r cymhorthdal ar nifer ohonynt.

Digwyddodd rhywbeth tebyg, yn ôl Idwal Morris, yng Ngwastad Annas, Nantgwynant, adeg cneifio. Roedd y ffarmwr wedi bod yn *tynnu arno fo*, wedi bod yn pryfocio'r hen John, a hwnnw wedi colli'i limpyn. Aeth y cneifwyr oll i'r tŷ i gael cinio a gadael John yn y gwaelod ger y corlannau. Y bwriad oedd mynd â bwyd iddo fo'n ddiweddarach.

Mi euthon i lawr yn ôl – roedd y defaid wedi'u cymysgu i gyd. Roedd John wedi agor pob un giât ac wedi mynd o'no. Beth oedd ymateb y ffarmwr a gweddill y criw, tybed?

Dim byd ond chwerthin. Fedren nhw 'neud dim byd arall ond chwerthin am ei ben o – roedd o wedi mynd!

Llysenwau

Byddai gan John ei lysenwau ei hun ar nifer o bobl, rhai ohonynt yn gymdogion gynt ac yn ffrindiau iddo, eraill yn bobl nad da ganddo hwynt. *Eos Morlais* oedd yr enw a arferai John am Robert Roberts, Garreg Boeth, Capel Ucha, gŵr oedd yn adnabyddus iawn fel athro canu a phiano. Roedd cof gwlad am y tenorydd rhyfeddol hwnnw o

ARDAL CAPEL UCHAF CLYNNOG —
HEN GYNEFIN JOHN PREIS

Glan-môr Plas

Cefngwreichion

Lôn Ganol

Cilcoed

Clynnog Fawr

Tan 'rallt

Bwlch-y-gwynt

Garreg Boeth

Allt Mur Sant

Pengongl

Siop

Capel Uchaf

Beudái Tŷ Isa

Penygarreg

Llwyn-y-Ne'

Lôn Jeri

Tyddynygarreg

Lôn Pant

Ffordd ddrwg

Brysgyni Ganol

Brysgyni Uchaf

Tŷ Gwyn

Pen'rallt Isaf

Hafod-y-Wern

Tyddynygarreg Uchaf (Simbil)

Pen'rallt Uchaf

Hafod-y-rhiw

Seinai

Tyddynmadyn

Coedtyno

Brynhafod

Tai'n Lôn

Pengongl
Siop
Capel Uchaf

Penbwlcyn

Tyddynygarreg

Brysgyni Ganol

Brysgyni
Uchaf

Tŷ Gwyn

Bryn Ifan

Maesog

Tyddynygarreg
Uchaf (Simbil)

Tan-y-bwlch

Tan-y-clawdd

Rhybuddion y Crwydriaid

Byddai'r hen grwydriaid gynt yn gadael arwyddion i grwydriaid eraill fyddai'n eu dilyn, arwyddion yn disgrifio pobl a llefydd, gan ganmol y croeso mewn ambell le a rhybuddio rhag peryglon mewn llefydd eraill. Dyma ddetholiad o rai o'r arwyddion hynny.

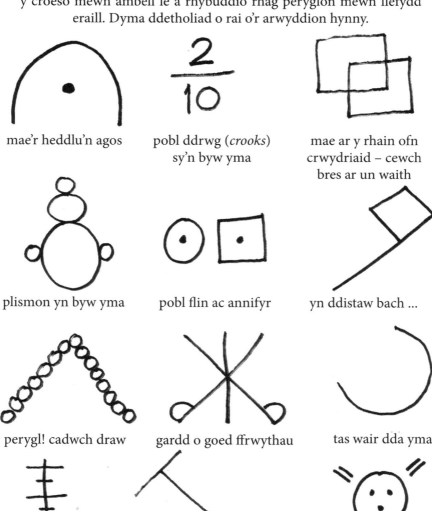

mae'r heddlu'n agos

pobl ddrwg (*crooks*) sy'n byw yma

mae ar y rhain ofn crwydriaid – cewch bres ar un waith

plismon yn byw yma

pobl flin ac annifyr

yn ddistaw bach ...

perygl! cadwch draw

gardd o goed ffrwythau

tas wair dda yma

byddant yn ffonio'r heddlu

gwadnwch hi o'ma

dynes garedig

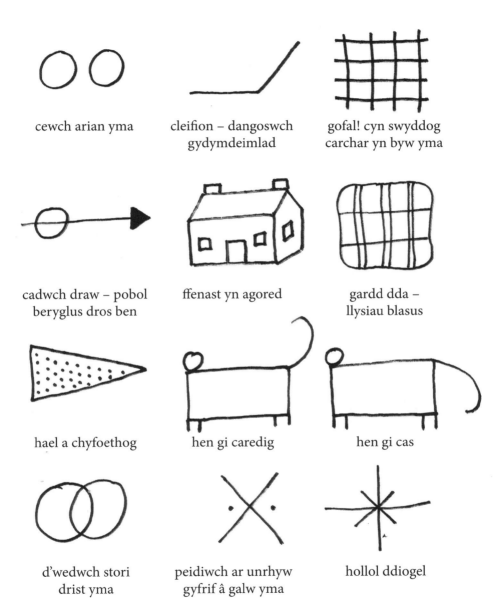

cewch arian yma

cleifion – dangoswch
gydymdeimlad

gofal! cyn swyddog
carchar yn byw yma

cadwch draw – pobol
beryglus dros ben

ffenast yn agored

gardd dda –
llysiau blasus

hael a chyfoethog

hen gi caredig

hen gi cas

d'wedwch stori
drist yma

peidiwch ar unrhyw
gyfrif â galw yma

hollol ddiogel

Teulu Tyddyn Madyn, plwyf Clynnog

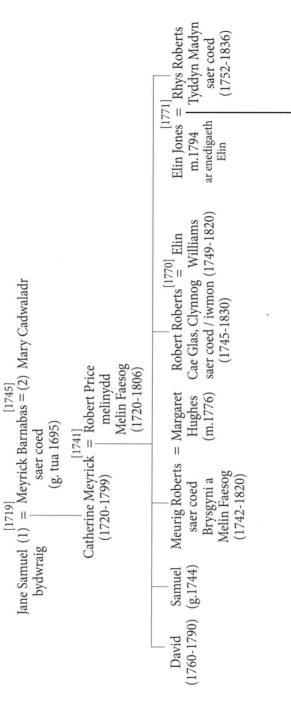

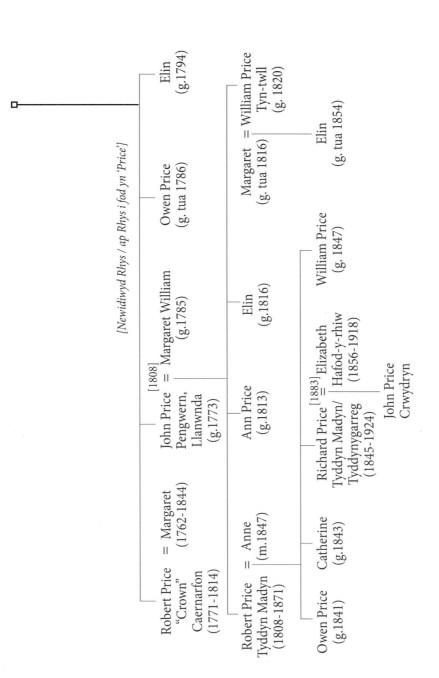

[Newidiwyd Rhys / ap Rhys i fod yn 'Price']

Robert Price
"Crown"
Caernarfon
(1771-1814)

= Margaret
(1762-1844)

[1808]
John Price
Pengwern,
Llanwnda
(g.1773)

= Margaret William
(g.1785)

Elin
(g.1794)

Owen Price
(g. tua 1786)

Margaret = William Price
(g. tua 1816)   Tyn-twll
                (g. 1820)

Elin
(g.1816)

Elin
(g. tua 1854)

Robert Price
Tyddyn Madyn
(1808-1871)

= Anne
(m.1847)

Ann Price
(g.1813)

William Price
(g. 1847)

Owen Price
(g.1841)

Catherine
(g.1843)

Richard Price [1883] Elizabeth
Tyddyn Madyn/ = Hafod-y-rhiw
Tyddynygarreg   (1856-1918)
(1845-1924)

John Price
Crwydryn

Teulu Hafod-y-rhiw, plwyf Clynnog

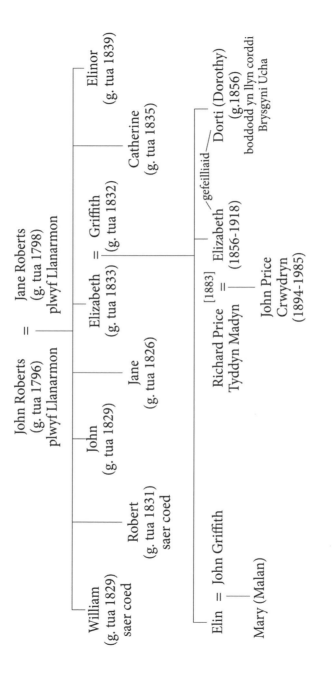

Teulu Tyddynygarreg, plwyf Clynnog

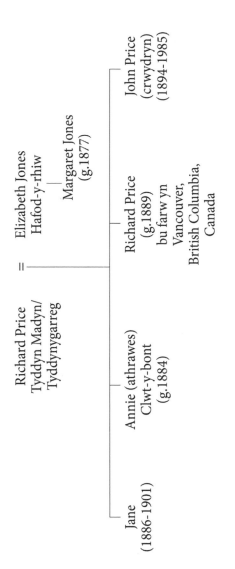

Richard Price
Tyddyn Madyn/
Tyddynygarreg

=

Elizabeth Jones
Hafod-y-rhiw

Margaret Jones
(g.1877)

Jane
(1886-1901)

Annie (athrawes)
Clwt-y-bont
(g.1884)

Richard Price
(g.1889)
bu farw yn
Vancouver,
British Columbia,
Canada

John Price
(crwydryn)
(1894-1985)

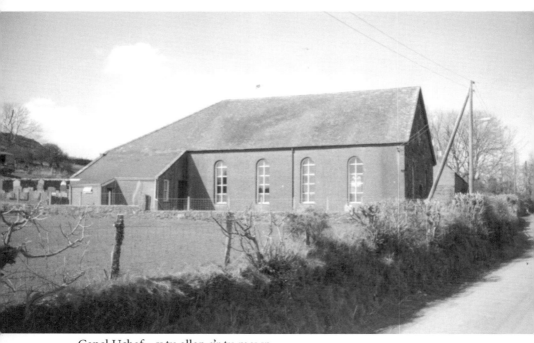

Capel Uchaf – y tu allan a'r tu mewn.
Lluniau: Marian Elias Roberts

John Preis tua chanol y 1960au.
Llun gan Osborn Jones, Llandwrog

John yn cael hoe fach ar un o'i drafals.
Copi o lun a dynnwyd gan Huw Geraint
Williams, Pontllyfni.

John Preis ddim hanner da.
Llun gan Osborn Jones yn y Crown,
garej Wil Sam, Llanystumdwy, tua 1966.

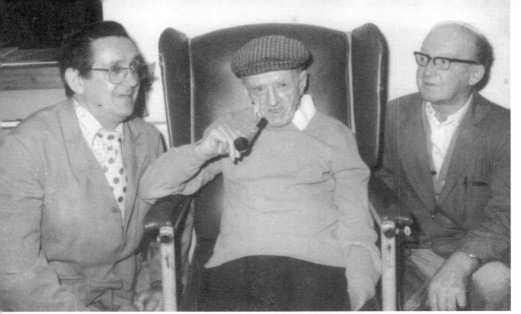

Caradog Roberts a John Owen (dau borthor) gyda John Preis ym Mron-y-garth, Tachwedd 1978. *Llun: Gwenno Roberts, Penrhyndeudraeth*

John Preis gyda dwy nyrs ym Mron-y-garth, Penrhyndeudraeth.
Llun trwy garedigrwydd R. J. Owen, Clynnog Fawr

Carreg fedd Preisiaid Tyddynygarreg ym mynwent Capel Uchaf. John oedd yr olaf ohonynt. *Llun: Marian E. Roberts*

Elizabeth Price
(Leusa Tyddyngarrag),
mam John Price.
*Llun trwy garedigrwydd
Marian Elias Roberts*

(Gyferbyn)
Llun a dynnwyd ger
Tudweiliog gan *T. Emyr
Pritchard*

Olion Tyddynygarreg, hen
gartref John Preis, yn 2014.
Bwlch Mawr yw'r mynydd.
Llun: Marian Elias Roberts

John Preis ger Tudweiliog. *Llun: T. Emyr Pritchard*

(Gyferbyn)
Rhai o blant Ysgol Clynnog tua throad y ganrif.
Ysgrifennwyd ar y llechen: "Clynnog National No. 1".
Y rhes ôl o'r chwith: Richard Jones yr Ysgolfeistr; John, Tan-y-bwlch; Elias, Brynhafod; Wmffra, Hafod-y-rhiw; Griffith, Tŷ Capel; Tomi, Brynhafod; Arthur, Cefngwreichion; John, Minffordd.
Y rhes ganol (yn sefyll): **John Price, Tyddynygarreg**; Manni, Tai Capel; John, Bwlch-y-gwynt; Evan, Bryngolau; Jane, Hafod-y-rhiw; Lizzie Jane, Pen 'rallt; Polly, Minffordd.
Y drydedd res (yn eistedd): Mary, Siop; Lizzie, Bron'rerw; Maggie, Coedtyno; Kate, Siop; Rachel, Brynhafod; Jennie, Siop; Ann Elin, Tŷ Capel; Ellen, Pengongl.
Y rhes flaen: Dic, Tyddyn Du; William, Pengongl; Jane Pengongl; Nel, Tyddyn Du; Kate Ann, Brynhafod; Jane, Penbwlcyn; Nel, Penbwlcyn; Jennie Sinai (sef Mrs Jones, Cowrt, Clynnog). *Nid yw enwau'r ddwy athrawes yn wybyddus. Mae'n bosib mai Miss Cooke oedd un. Plant Capel Uchaf yw'r rhain ac eithrio Arthur, Cefngwreichion a Lizzie Jane, Pen'rallt.*

Enwyd pawb yn y llun gan Mair Eluned Pritchard, Bryn Myfanwy, Pontllyfni (merch Jane Pritchard, Pengongl.)
Llun: Canolfan Hanes Uwchgwyrfai trwy garedigrwydd Nan Hughes, Rhuddlan (teulu Brysgyni Uchaf).

Dwy garreg fedd yng ngweithdy Roy Williams, Cricieth. "Bedd a wna bawb yn gydradd". *Llun trwy garedigrwydd "Y Ffynnon" (papur bro Eifionydd).*

Dic (Richard) Preis, brawd John fu farw yn nhalaith British Columbia, Canada. Yn y wlad honno y tynnwyd y llun.

John yn cael brecwast yn
Nhalymignedd, Nantlle,
Mehefin 1969. Y plant
yw Ann Talymignedd a'i
chefnder, Robert Wyn,
Ffridd. *Llun gan Hugh
Jones, Talymignedd Isaf.*

John Preis ym Mron-y-garth,
Penrhyndeudraeth yn dymuno
bod yn annibynnol ac wedi
ymneilltuo i'r gornel bellaf
gyda neb ond y brwsh yn
gwmni iddo.

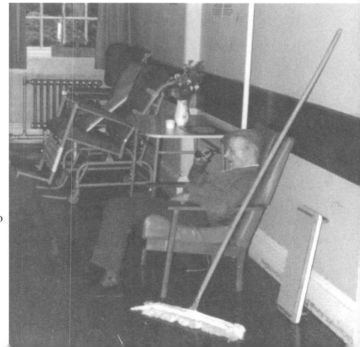

Ddowlais, Robert Rees (Eos Morlais) yn dal yn fyw hanner canrif a rhagor wedi ei farw.

Am y terfyn â'r Garreg Boeth, ym Mwlch-y-gwynt, trigai un o gyfoedion John, Owen Hughes, fu'n weinidog yn Lerpwl ar un adeg. Llys-enw John arno oedd *Cock-eye*, a hynny oherwydd rhyw wendid bychan oedd yn un o lygaid Owen Hughes. Wedi iddo gyrraedd oed yr addewid aeth yn llesg iawn, a mynych y gwelid ei hen gyfaill, John Preis, yn galw yno i'w gynorthwyo, nid i lanhau'r tŷ na dim byd gwirion a di-fudd felly, ond i godi lludw. Gwaetha'r modd, nid oedd John yn giamstar ar godi lludw, a byddai llanast mawr ar ei ôl – llwybr llwyd o'r grât i'r drws, ac Owen Hughes a John fel dau goliar yn dduon o'r coryn i'r sawdl. Serch hynny, mi roedd hi'n gymwynas. Cymdogaeth dda, onidê?

Magwyd Owen Hughes ym Mhen-rallt, Clynnog, ac yno byddai John yn aros yn aml. Erbyn hynny, gŵr gweddw, John Jones, a drigai yno, ac fe'i gelwid gan John Preis, am ryw reswm nas gwyddom, yn *Cyrnol Elliot*. Efallai oherwydd ei fod yn gwisgo hen gôt fawr gaci ac yn sythu fel sowldiwr ynddi hefo'i beint yn y Plas.

Y Flacan Ddu

Gerllaw roedd siop cangen Clynnog o fenter gydweithredol gyntaf sir Gaernarfon a sefydlwyd ganol y bedwaredd ganrif ar bymtheg, y ryfeddol Gymdeithas Gydweithredol Chwarelwyr yr Eifl, y *Stôr* fel y'i gelwid. Wrth gownter y siop roedd merch smart a fagwyd yng Nghapel Ucha, Betty Rice Davies, oedd â gwallt du, tonnog, hardd. Dyna pam y gelwid hi gan John yn *Flacan Ddu* – disgrifiad edmygydd yn ddiamau. Yno, yn y Stôr, yr arferai John brynu ei hoff felysion pan ar ei hald yng Nghlynnog – y fferins-capal, y botymau gwynion, y Mint Imperials.

Pan ddaeth John yn ei henaint, wedi hen ymddeol o grwydro'r priffyrdd, i fyw ym Mron-y-garth, aeth Betty a'i chwaer Sarah i edrych amdano. Roedd ganddynt anrheg arbennig iddo – pecyn nobl o fintimpîrials. Gafaelodd John yn dynn yn y pecyn a llwytho'i safn â'r botymau gwynion, yn union fel petaent ar fin dianc rhagddo i rywle.

Hannar munud, John, paid â stwffio'r petha 'na mor wallgo, rhag ofn i ti dagu, siarsiodd Betty ef. *Cymer bwyll, da chdi – a phaid â bod mor finji; rhanna rywfaint ohonyn nhw.*

Dim uffar o beryg, meddai John wrtho'i hun, gan stwffio'r cyfan i'w boced heb yngan gair.

Y Wiltshire

Roedd cyfeirio at ddyn neu at anifail fel hen lwdwn yn arferiad pur gyffredin gan John. Un tro gwelodd Robert Elias wrthi'n brysur yn hel defaid yng nghaeau Tŷ Isa, ar fin y ffordd rhwng Clynnog a Chapel Ucha. Yn y beudy yn fan'no y cysgai John yn aml. Meddai'n ddirmygus.

Mi o'n i'n gweld hen sglyfath o hen beth corniog gin ti'n fan'na – hen Wiltsiar piblyd ynte?

Ym mlynyddoedd y 1950au roedd llydnod Wiltshire i'w cael yn helaeth yn sir Fôn. Roeddan nhw'n greaduriaid digon heglog a phan fyddai rhywbeth o'i le arnyn nhw, edrychent yn eithriadol o wael a blêr. Roedd John wedi sylwi ar hyn, yn enwedig ar ei drafals yn sir Fôn. A phan geisiodd o ddisgrifio rhywun oedd wedi gwaelu a theneuo, fedra fo ddim peidio â'i gyffelybu i *ryw hen lwdwn Wiltsiar hefo sgoth arno fo.*

Roedd dirmyg John Preis yn rhan annatod o'i sgwrs, yn idiom naturiol ddifeddwl, ac yn y bôn yn rhywbeth ddigon diniwed. Roedd ganddo fo ryw hawl unigryw i ddweud fel fyd a fynnai – ie, hyd yn oed am bobol.

Fel hyn y cyfarchodd o J. P. Davies, Caergofaint, Pontllyfni, un tro gan gyfeirio at berthynas i'r gŵr hwnnw.

Mi welis i hen beth yn perthyn i ti efo un peg.

Cyfeirio yr oedd at Joseph Davies, ewythr J. P. Davies, oedd wedi colli ei ddannedd blaen ac eithrio un dant.

Anniolchgarwch

Os bu unrhyw beth 'diarhebol', fel y d'wedwn, ynglŷn â John Preis, yna ei anniolchgarwch, dybiaf i, fyddai hwnnw. Daeth hunanoldeb a chrintachrwydd ac anniolchgarwch yn rhan hanfodol o gymeriad John Preis. Yn union fel y daeth 'gordro' ei fwyd a'i ddiod yn destun ymatebion gwahanol, gan wahanol bobl, mewn gwahanol leoedd ac amgylchiadau. Fel'na y'i hadwaenid gan bawb, ac felly y'i derbynnid gan y mwyafrif. Dywedir yn gyffredinol na ddaeth y gair *diolch* o enau John erioed. Roedd ei anniolchgarwch yn rhemp ac yn rhan annatod o'i ymddygiad.

Oherwydd hyn, ond yn bennaf oherwydd ei fod yn drewi, ni châi John fynd i'r tŷ brin yn unman, hyd yn oed am damaid o fwyd. Ond ceid eithriadau, wrth gwrs. Un o'r rheini oedd Elizabeth Mary Williams, Llandwrog, oedd wedi ei geni yn Nhyddyn Madyn, Capel Ucha, cartref hynafiaid John Preis ar ochr ei dad, ac wedi bod yn ysgol Clynnog yr un pryd â John. Dywed ei mab, Emyr Wyn Williams, y byddai John yn cael croeso mawr gan ei fam bob amser, ac am ryw reswm byddai'n ei galw yn Annie. Câi ddod i'r tŷ i gael llond ei fol o fwyd. Byddai wrth ei fodd yn sglaffio cig moch, ŵy a bara saim, ac yn llenwi ei blât â hynny o saim a fedrai nes yr oedd gweddill y bwyd yn nofio ynddo. Yr *hen glust fawr* oedd enw John ar y cig moch, a galwai'r ŵy yn *gachu iâr*.

Daeth yno'n sâl un tro ac aed ag o i Gefn Emrys. Bu yn fan'no am wythnos. Ar y pryd roedd Tai Elen Glynn, y tai elusennol, yn weigion. Aed â John yno, a buwyd yn cario bwyd iddo yn fan'no am bythefnos gron cyn iddo ddechrau aildroedio'r priffyrdd. Gofynnodd yno i Susie'r weinyddes:

Ty'd â hen sglyfath o asbrin imi, 'nei di.

Pan gafodd o'r asbrin, ei gnoi a wnaeth, oherwydd fe gredai mai dyna'r ffordd orau i gael yr effaith yn llawn. Cnoi pob tabled a philsen wnâi ei gyfnither, Mary Jones (Malan), Tan-y-bwlch, hefyd, gan ei bod hithau'n argyhoeddedig fod hynny'n cael llawer mwy o effaith na'u llyncu.

Does neb a wâd bod John Price yn greadur anodd gynddeiriog, os nad amhosib, i'w dinprwn, yn afrywiog ei dymer ac yn gystwyol ei ymateb. Ni hoffai, ac ni oddefai, orchmynion o unrhyw fath, ac roedd yn gwbwl amddifad o'r awydd na'r ddawn i ddweud *Diolch*. Ond fe geid ambell i le, ac ambell gymwynaswr na feiddiai hyd yn oed John anufuddhau iddynt – pobl a rhyw fath o ddylanwad arno. Un o'r rheini'n sicr oedd mam Thomas Williams, Plas Holland, Garndolbenmaen, gwraig o ochrau Clynnog yn wreiddiol. Yn ffarm Bwlch-y-moch roeddan nhw bryd hynny a byddai'r hen Breis yn galw yno'n gyson. Yno roedd yn rhaid iddo fyhafio. Gwyddai yntau hynny – ac ufuddhâi. Câi groeso twymgalon a llond ei fol o fwyd maethlon, ac yna'i heglu hi'n ei ôl ar y Jóseffwt. Ni feiddiai daflu ei fwyd yno.

Defnyddiai ei eirfa 'hyll' i ddirmygu pobl neu i bwysleisio'i anniolchgarwch. Cofia Eirlys Jones, Nefyn, i'w mam, yn ei haelioni, wneud paned o *Ovaltine* i John un tro yn lle'r te arferol. A'i ymateb yntau? *Hen sglyfath hen de* oedd arno fo ei eisiau, ac os na châi y te, byddai'n gwneud dŵr ...

Ie, prin iawn oedd y brawddegau pan na ddefnyddiai John Preis naill ai *hen* neu *sglyfath* – neu'r ddau!

Brechdanau lu

Pur wahanol oedd yr hanes yn Loj Tan'rallt ger Bwlch-y-moch, fodd bynnag. Yno y magwyd John Glyn Jones, Y Groeslon, sy'n ei gofio'n mynd heibio ym mherfeddion nos yn llusgo'i draed hyd y lôn. Câi ambell i frechdan yno hefyd, ond yn aml iawn dros ben clawdd y câi honno fynd ganddo.

Un arall o'r Groeslon sy'n cofio John yn galw'n ei chartref yw Valmai Ellis. Yn Rhos, Bryngolau ger Y Ffôr roedd hi'n byw a byddai John yn galw'n bur rheolaidd o gwmpas adeg y Nadolig.

"Sgin ti hen sglyfath o hen f'echdan imi?"

Cyfarchiad Nadolig hawddgar dros ben! Pecyn o frechdanau a darn o gacen Dolig fyddai'r wobr. Ni fyddai'n mynd i'r afael â nhw yng nghyffiniau'r tŷ ond yn is i lawr y lôn. Faint o'r bwyd a fwyteid a faint ohono a deflid, 'does wybod yn wir.

Yr un cwestiwn, yn ôl pob golwg, a ofynnai ym mhob drws – a bob amser yn hepgor y geiriau *os gwelwch yn dda*. A dweud y gwir, comandio, nid gofyn, wnâi John. A dyma ordrodd o yn nrws Pen-sarn, Sardis, pan y'i hagorwyd gan fam Megan Williams (Llwyn, Gellilydan yn awr).

'Sgin ti hen sglyfath o hen f'echdan ga' i?

Roedd hi'n ddiwrnod hyfryd o wanwyn ac fe eisteddodd John yn hamddenol ar ben y clawdd bychan oedd o flaen y tŷ. Cafodd ddiod o de poeth a chlamp o frechdan cig moch – *yr hen glust fawr*, chydal John. Dyma gymryd un cegiad ohoni, yna poeri hwnnw'n ddirmygus a thaflu'r gweddill ar lawr.

Erbyn deall, roedd newydd alw yng Nghae'r Ferch gerllaw, a chael brechdan gig moch gan Musus Owen yn fanno hefyd. Byddai wedi gallu claddu'r ddwy frechdan yn hawdd, ond fel'na roedd John yn teimlo ar y pryd. Gallai fod yn dra oriog, a dweud y lleiaf.

Comandio wnaeth o yng Nglanrafon, Llanfaglan, hefyd, fel ym mhobman arall. Mae Mair Owen (92 oed) yn ei gofio'n galw yno.

Lle ma' hi?

Pwy 'dach chi'n ei feddwl?

Y hi! 'Y 'mhanad i!

Mi gâi de a brechdan wedyn gan ei mam, ac yna'r un hen weithred anniolchgar o daflu'r frechdan dros y gwrych i'r cae. Âi'n syth wedyn i'r ffarm drws nesa i ofyn am yr un peth.

Mae'n werth cofnodi yma bod Mair Owen, pan oedd hi'n rhyw ddeuddeg oed, yn cofio gweld John Preis yn llithro i mewn i'r sêt ôl yn ystod oedfa yng nghapel Pen-y-graig, Llanfaglan. Fe ddywed hi fod ei ganu'n drawiadol, ei lais yn swynol a het galed (*bowler*) am ei ben.

Yn ystod yr un cyfnod – y tridegau cynnar – galwodd John yn Ynysgain Fawr, Llanystumdwy. Bryd hynny, ni wyddai merch y lle, Eifiona Williams (Pentre'rfelin), un dim amdano.

"Gwna f'echdana a dos â nhw allan iddo fo", gorchmynnodd 'Nhad. Dyna fu ac i ffwrdd â John ar ei daith ar ôl cael ei wala a'i weddill. Y tro nesaf imi fynd i'r pentref clywais fod John Preis wedi dweud bod "rhyw hen sglyfath o hen forwyn fawr" wedi dod â brechdanau iddo.

Yn Nhre-fain ger Y Ffôr byddai John yn dod at fam Menna Williams ac yn hawlio:

'Sgin ti'm hen sglyfath o hen f'echdan ga' i?

Câi ei frechdanau'n raslon a mynd i dîn-clawdd i'w bwyta. Un tro cafodd de gan fam Menna a hwnnw mewn fflasg newydd sbon danlli. Llowciodd John y te o'r caead, poerodd, a lluchio'r cyfan dros ben clawdd. 'Doedd dim tamaid o ots ganddo am neb na dim.

Bargeinion yn Nhrefor

Galwai John yn Nhan-y-graig ger Trefor hefyd a chael sgwrs a thamaid efo Guto Ellis Williams yn fan'no. Rhywsut neu'i gilydd fe lwyddodd John un tro i syrthio i'r cafn tipio dros ei ben. Fe'i tynnwyd yn syth ohono rhag a fo gwaeth, ac aeth Guto ati i'w ymgeleddu a rhoi dillad glân amdano. Gŵr hynod o lân a thrwsiadus oedd Guto, ac yn siŵr i chi cafodd John fargen go hael yn y dillad ail-law a roddwyd iddo'r diwrnod hwnnw. Faint o ddiolchgarwch oedd yng nghalon John, tybed? Wel, mi dd'weda i wrthoch chi.

Fe gyhuddodd o Guto, mewn iaith amrwd dros ben, o fod wedi rhoi hergwd iddo'n fwriadol i mewn i'r cafn tipio. Roedd y peth yn gelwydd noeth, wrth gwrs, a gwadai Guto hynny'n lân. Un peth a wyddom. Nid aeth John Preis ar gyfyl Tan-y-graig byth wedyn.

Yn y bing (bin) yn y beudy y cysgai John yn Elernion, Trefor. Gadawodd Edwin gôt yno iddo i'w gwisgo yn lle'r hen racsan oedd ganddo ar y pryd. Ond ei hen gôt a wisgai John fore trannoeth.

Nefi wen, rhyfeddodd Edwin, *'dwyt ti ddim am wisgo'r gôt dda 'ma 'dwi wedi'i rhoi i ti?*

Cafodd ateb a heriai pob rhesymeg ddynol.

Ma' hi'n dwad yn dywydd mawr, 'sdi.

Côt arall

Pan alwodd John mewn tŷ yn ardal Llanwnda yn ystod blynyddoedd y chwedegau, cafodd nid yn unig bryd da o fwyd ond hefyd gôt. Roedd gan ŵr y tŷ, Ariel Tomos, hen gôt – ac roedd yn eitha hoff ohoni, a dweud y gwir – a dyma'i ffonio'n syth yn ei waith i gael ei ganiatâd i roi'r gôt i John Preis. Iawn, ar bob cyfrif. Ond pan welodd John y gôt, trodd ei drwyn arni, a datgan yn ei ffordd ddiolchgar ddihafal ei hun:

'Dwi ddim isio'r hen sglyfath peth!

Bu'r gôt yn Llanwnda am flynyddoedd wedi hynny, a chyfeiriwyd yn aml ati fel *yr un nad oedd ddigon da i John Preis hyd yn oed.*

Esgidiau

Gallai John droi ei drwyn ar ddillad da mor hawdd â dim. Yr un modd gydag esgidiau – o bosib y pethau pwysicaf a wisgai. Galwodd ym Mrynifan, Capel Ucha, un tro, a chafodd bâr o 'sgidiau da gan Dafydd Williams. Roedden' nhw newydd gael eu gwadnu. Derbyniodd hwy'n syth ac aeth ymaith a'r 'sgidiau dan ei gesail.

Pan alwodd John ym Mrynifan ymhen rhai wythnosau, sylwodd Dafydd Williams nad oedd yn gwisgo'r 'sgidiau a gafodd ganddo, ond yn hytrach yr un hen ffaga' ag o'r blaen.

Ble ma'r 'sgidia da rheini ge'st ti gen i?

Yn 'rhen dwll clawdd hwnnw 'Ngherrigydrudion! oedd ateb onest a pharod John Preis.

Houdini

Ceir enghraifft ar ôl enghraifft o'i ymateb arferol, yn wir adwaith haerllug i garedigrwydd a haelioni noddwyr cymwynasgar, a hynny ar ffurf sarhad, dialedd a gweithredoedd o drais di-alw-amdanynt, ynghyd â llwyr anniolchgarwch. Gallai'n aml fod yn anystyriol gynddeiriog. Ni faliai 'rhen John fotwm corn am neb dyn na dynes nac anifail mewn gwirionedd. Ac roedd yn gas ganddo waith hefyd : roedd hwnnw'n anathema llwyr iddo.

Un tro, galwodd John yn Hendre, Boduan, gyda'r bwriad o gael lluniaeth, yn syth bin, ynghyd â'i lety arferol dros nos. Ac yn ôl ei arfer gofalodd Hugh Jones, ffarmwr y lle, amdano'n anrhydeddus y tro hwn eto, gan roi platiaid da o swper o'i flaen a gwylio'r hen grwydryn yn ei larpio'n awchus. Yn ôl ei arfer yntau, ni ddiolchodd John amdano, ac yn ddiymdroi hawliodd le i roi ei ben i lawr dros nos yn yr hen stabal roedd mor gyfarwydd â hi.

Nid am y tro cyntaf, brifwyd Hugh Jones gan agwedd ddilornus ac anniolchgar John Preis. Teimlai y dylai John 'dalu' am ei le ac am y brecwast fyddai'n dod iddo fore trannoeth. Dywedodd yn blaen wrtho y byddai'n rhaid iddo roi help llaw yn blygeiniol bore trannoeth i garthu'r beudy, a hynny *cyn* cael y brecwast a addawyd iddo.

Ar bob cyfri, tuchanodd John, *mi sieflia i'r sglyfath pibo gwarthaig 'na cyn y byddi di wedi gollwng dy biso ar y garrag bora 'fory*. Trodd ar ei sawdl yn rhegi dan ei wynt a'i gwneud hi am yr hen stabal a'i wely o wellt.

Fodd bynnag, teimlai Hugh yn anghysurus braidd, oherwydd gwyddai, o brofiad, am gastiau a chelwyddau John Preis. Beth a dâl dyn ond ei air? Ond ni allai neb ymddiried yn ei air na'i gredu am eiliad. 'Rôl cau John yn y stabal am y nos, a rhag i'r ymwelydd gael osgoi carthiad y bore, sodrodd Hugh Jones hoelen wyth yn gadarn a disyfl yn nolen drws y stabal fel na ellid ei agor o'r tu mewn.

Hi, hi, chwarddodd rhyngddo'i hun a drws y stabal, *chaiff y diawl bach mo'i ffordd ei hun y tro yma, beth bynnag*. Dychwelodd i'r tŷ ac aeth i'w wely'n teimlo'n fuddugoliaethus ac yn dal i bwffian chwerthin.

Amser brecwast

Bore trannoeth, i roi tipyn o nerth iddo ar gyfer ei galetwaith, coginiwyd clamp o frecwast padell ffrio ar gyfer John, a'i gadw'n gynnes yn y pobty – wyau, cig moch, pwdin gwaed, digon o fara saim a chrystyn neu ddau – a gwelid y ffarmwr yn brasgamu fel bwtler brenhinol at ddrws 'llofft' ei westai arbennig oedd yn dal dan glo diogel y stabal.

Daeth gwên i'w wyneb wrth sylwi ar yr hoelen yn dal yn ei lle. *Dyma fi wedi cael yr hen gythraul drwg o'r diwedd*, meddyliodd Hugh wrth agor y drws i addo dawnsio 'chydig o dendans ar yr hen grwydryn.

Syrpreis, Syr Preis, syrpreis! Roedd y stabal yn wag a dim ond drewdod lle bu. Gwelodd Hugh Jones druan bod y ffenast yng nghefn yr adeilad yn deilchion a Houdini'r Jóseffwt wedi diflannu "fel y niwl o afael nant". Cafodd cŵn yr Hendre eitha blas ar eu gwledd anarferol ac annisgwyl y bore arbennig hwnnw.

Parselaid o addewid

Digon tebyg oedd ffawd y ffarmwr a'r bardd poblogaidd, Wil Parsal. Cario gwair oeddan nhw un haf yn y Parsal ac roedd angen pob help er mwyn ei gael yn ddiymdroi i ddiddosrwydd. Roeddan nhw'n addo glaw at nos trannoeth. Fel roedd hi'n t'wyllu, pwy ddigwyddodd daro heibio ond John Preis. Rhoddwyd llond ei fol o fwyd iddo, a dillad glân, hynny ar yr addewid y byddai'n torchi ei lewys yn y cae gwair ben bore trannoeth. Cafwyd addewid cadarn John, siŵr iawn.

Hei ho, heidio ho! Beth welodd Wil ar doriad gwawr ond drws y beudy'n llydan agored, a dim ond arogl John lle bu. Roedd yr hen walch wedi ei hen wadnu hi ynghyd â hen 'anghofio' cadw'i air.

Roedd Wil, fodd bynnag, wedi gwylltio'n gaclwm ac yn benderfynol y byddai'n rhaid i John 'dalu' am ei fwyd a'i ddillad. Taniodd y fan yn chwyrn gan adael y gwair am y tro, a'i sgrialu hi i chwilio am y Demas a'i gadawodd. Fe'i dyrnodd hi fel Jehiw am Fwlch Siwncwn, yna i fyny lôn Cwmcoryn, ac yna lôn Moelfra Fawr. Ond 'doedd yna 'r un golwg o Houdini yn unman. Roedd wedi diflannu'n llwyr, gan adael Wil druan ym mhen ei helynt ac wedi colli awr dda o waith. Unig gysur y bardd cyn noswylio'r noson honno oedd iddo gael, er gwaetha John Preis, ei wair i ddiddosrwydd cyn dyfod y glaw.

Dialedd

Ond yn ôl at agwedd ddisgwylgar John a'i gred y dylai pawb ei drin fel brenin. Roedd hynny, heb os, yn rhan o'i unigrywedd ond roedd hefyd yn rhywbeth na hoffai pobl, yn arbennig ei noddwyr. Gallai fod yn hynod o gastiog a cheir nifer fawr o hanesion amdano, mewn dialedd, yn agor giatiau ac yn gollwng anifeiliaid i'r lôn. Yn wir, gollyngodd dros gant o ddefaid i brysurdeb y briffordd yng nghyffiniau Llanwnda un tro. Mae sôn amdano'n galw heibio un o'i hoff ffermydd, Glan'rafon Fawr yn Llanfaglan; 'hoff' oherwydd y byddai'n cael croeso gan y teulu Pritchard bob amser.   Un diwrnod, cyrhaeddodd y lle ond, gwaetha'r modd, roedd pawb yno'n hynod o brysur ar y pryd. Roedd hi'n ddiwrnod cneifio a dyna pam na chafodd 'rhen John y breichiau agored y disgwyliai amdanynt. Roedd wedi gobeithio cael pryd o fwyd, a hynny ynghanol y pnawn. Gwylltiodd, sorrodd ac aeth yn syth i'r sgubor. Torrodd ymaith lorpiau'r drôl, eu malu'n fân, a'u cymryd yn barsel taclus i'w cyflwyno i wraig y tŷ yn bricia-dechra-tân. Dyna i chi gymwynas!

Aberdaron, dirion, deg
Mae sôn am ddigwyddiad cyffelyb mewn ffarm ym mhlwyf Aberdaron. Landiodd John yn y gadlas a phawb wrthi fel lladd nadroedd yng nghwmni'r Dyrnwr Mawr. Ie, diwrnod dyrnu.

Rydw i isio bwyd, comandiodd Mei Lórd, *ty'd â thama'd o ryw hen sglyfath crystyn i mi'r diawl.*

Yli, atebodd y ffarmwr yn ddigon diamynedd, *fyddwn ni ddim yn byta tan tua phump, felly, yn y cyfamsar, mi gei di 'neud rwbath am dy dama'd. Dos i helpu i gario'r pe'swyn, neu os ydy'n well gen ti, lladda rywfaint o'r llygod 'na sy'n dwad o'r das.*

Ni phleswyd John Preis. Gadawodd y lle â rheg neu ddwy gan fwrw melltith ar yr holl deulu. *Yli di'r diawl sglyfath gachu. Stwffia dy sglyfath llygod a dy sglyfath peiswyn. Mi 'nela i am Anelog lle y ca i dama'd o sglyfath bynsan diawl a llond pisar o de.*

Brysiodd oddi yno gan ddwrdio a blagardio, a mwmial dan ei wynt un o'i hoff ymadroddion: *mae'n dda bod lôn.*

Yn ei dursia, gadawodd giât y lôn yn agored, ond yn fwy na hynny, wedi troi o olwg y lle, agorodd giât y weirglodd, mynd i'r cae, a hysio gyrr o wartheg godro i'r lôn. Aeth ymaith yn pwffian chwerthin yn braf.

Hen, hen stori'n ei hanes oedd dial o'r math hyn. Fe'i hailadroddwyd yn gyson gydol y blynyddoedd. A doedd dim gwahaniaeth ym mhle y digwyddai na phwy oedd gwrthrych ei ddigofaint.

Gwreichioni a chochi

Câi John baned a thama'd yng Nghefn Gwreichion, Clynnog, bob amser, ond pan alwodd un bore gan ofyn am ddiod o de, digwyddai'r ffarmwr, Dafydd Pritchard, fod wrthi'n brysur â rhyw ddyletswydd go bwysig. Gofynnodd i John 'ddal ei ddŵr' am ychydig. Sorrodd hwnnw'n bwt a throi ar ei sawdl. Bore trannoeth sylweddolodd Dafydd Pritchard iddo wneud clamp o gamgymeriad. Erbyn hynny roedd y giât yn agored led y pen, a'r gwartheg, pob copa, yn crwydro'r lôn bost ac yn brefu dros bob man.

Dro arall, oherwydd y prysurdeb boreol ar ffarm Tŷ Coch, Llandwrog, ni chafodd John y croeso a ddisgwyliai. Bore trannoeth canfu cymydog, John Jones, Tan-lan, bod rhyw ddihiryn wedi bod yno, yn Nhan-lan, yn y nos, ac wedi troi'r moch allan o'u cwt. Gan i hynny ddigwydd drennydd hefyd penderfynodd y ffarmwr godi'n blygeiniol drannoeth i fod ar wyliadwriaeth. Cafodd weld yn fuan mai John Preis oedd wrth wraidd y drygioni, ac mai ei fwriad oedd dial am ddiffyg croeso Tŷ Coch. Ond roedd 'rhen John wedi camgymryd Tan-lan am Dŷ Coch ac wedi bwrw'i lid a'i ddialedd ar y dyn anghywir, y dyn dieuog!

Y gwir amdani ydy nad oedd gan John barch i nag anifail na dyn. Er hynny, roedd y rhan fwyaf o bobl yn ei hoffi mewn rhyw ffordd ryfedd, efallai oherwydd ei fod mor wahanol, mor unigryw, mor hynod. Ac eithrio'r ffarmwr, beth oedd ots gan bobl os oedd John Preis wedi llyncu mul a throi'r mulod i'r lôn? Rhywsut, ystyrid bod ganddo hawl i wneud hynny am mai John Preis oedd o. Byddid yn disgwyl hynny. Yn union fel peidio dweud 'Diolch', neu golli'i dempar, neu ddrewi fel ffwlbart, neu fwrw cawod o regfeydd. John Preis oedd John Preis.

I bellter byd

Un tro roedd John newydd ddychwelyd o Lerpwl ac yn traethu'n huawdl am *y sglyfath hen le budur ddiawl* wrth gownter Swyddfa'r Post yng Nghlynnog. Gan fod y Postfeistr, Griffith Roberts, Tyddyn Hen, wedi bod yn gweithio am saith mlynedd mewn siop ar lannau Merswy, roedd yn hen gyfarwydd â'r gwahanol ffyrdd i ddychwelyd i Gymru a Chlynnog oddi yno.

Ffordd ddoist ti o Lerpwl, John?

Cafodd ateb annisgwyl, ond cwbl nodweddiadol. Ateb anfarwol John oedd hwn. *O, heibio i ryw hen das wair, 'sdi.*

Yr un hyd fyddai pob taith i John. Taith oedd taith, boed i ben draw Llŷn, i Geredigion neu i Lerpwl. Cerdded oedd cerdded. Yn wir, bu cyn belled â'r Alban fwy nag unwaith, fe ddywedir. Tarodd Douglas Jones, gyrrwr lorri o Dal-y-sarn, arno unwaith ger y ffin rhwng Yr Alban a Lloegr, yn Gretna Green. Gwelodd John yn eistedd ar ryw risiau yn fanno a bu'r ddau yn sgwrsio'n ddifyr â'i gilydd.

Am Lerpwl fawr

Cofiwch chi, nid mewn hen sglyfath bedair olwyn fawr (fel y galwai lorri, yn enwedig lorri wartheg) y cyrhaeddai John Preis ddinas fawr Lerpwl bob amser. O, na. Câi ei gludo'n aml iawn, a hynny mewn cynhesrwydd, yn nhanceri llaeth Ffatri Laeth Rhydygwystl. Byddai'r rhain yn cludo llefrith yn ddyddiol, neu'n hytrach yn nosweithiol, i Lerpwl, a buan y daeth John i fanteisio ar y ffaith honno ac ar garedigrwydd rhai o'r gyrwyr. Yng ngeiriau Ellen Ann Griffiths, oedd yn byw yn nhŷ'r Ffatri gerllaw: *yr oedd ei ben yn arbed ei draed*. Dywed hi y byddai John yn canmol pobl Lerpwl yn arw am eu caredigrwydd.

"Ond wyddost ti be'?" meddai John, *"maen' nhw'n ddwl iawn. Maen' nhw'n rhy ddwl i siarad Cymraeg!"*

Mae'n bur debyg i John gerdded i Lerpwl lawer gwaith. Fe'i gwelwyd yn aml gan rai o drigolion y lle, ymwelwyr â'r lle a myfyrwyr Cymraeg y colegau yno.

Priododd Huw, brawd Now Cilcoed, oedd yn byw yn Aberdesach, â merch o Lerpwl, ac âi i'r ddinas honno'n weddol aml. Digwyddai Huw fod yng Nghilcoed rhyw ddiwrnod, a phwy ddigwyddodd alw ond John Preis. Meddai John wrth Huw:

"Mi welis i chdi yn yr hen Fyrcinhéd 'na d'wrnod o'r blaen".

Roedd Now wedi'i synnu.

Roedd o wedi'u gweld nhw, ylwch. Roeddan nhw wedi ei basio fo yn rwla, 'doeddan? Craff oedd o 'te?

Gall y milfeddyg o Bontllyfni, Huw Geraint Williams, ei gofio'n iawn hefyd.

O'n i'n y coleg yn Lerpwl yn niwedd y 1950au a fydda fo ddim byd i chi weld – mynd i'r coleg neu ddwad o'no – John yn dwad i'ch cyfarfod. Mi fydda'n mynd yn fân ac yn fuan – rhyw gerddediad oedd yn ddigon hawdd i chi ei nabod o ... mi fydda baw yn disgyn ar ei wynab o ... fydda fo ddim 'di siafio, roedd ganddo fo ryw hen stwmpyn o locsyn ...

Trybestod yn y Twnnel

Rhyw le digon brawychus ar y gorau yw Twnnel Merswy, sy'n cysylltu Cilgwri â Lerpwl. I'r bardd Gwilym Deudraeth mae'n codi arswyd arno fo hyd yn oed mewn car.

> Er clir lôn, er claer oleuni, – yn saff
> Ac yn sych mewn tacsi,
> Mae arswyd Afon Mersi
> Eto'r un faint arnaf i.

Ai felly John Preis, tybed? Tybed a fyddai ei goesau'n dechrau simsanu wrth gyrraedd Byrcinhéd? Sgersli bilîf! Byddai John hyd yn oed yn cysgu yn y twnnel – medda fo!

Fydda 'mond ryw un dyn yno, 'te. Yn yr hen dwnnal 'nw, 'te.

Fydda fo'n cysgu yn fan'no, tybed?

O byddwn Duw, yn y lle efo'r dyn – i fewn y byddwn i efo'r dyn 'sdi ... Gwyddal o'dd o 'sdi.

Dychymyg John oedd awdur yr hanesyn bach yna, heb os.

Fodd bynnag, roedd wrth ei fodd yn cerdded drwy'r twnnel gwaharddedig, a hynny pe na bai ond i herio'r *hen sglyfath tocyn baw*. Er gwaetha pob arwydd a rhybudd, a phob ymdrech i'w wahardd a'i rwystro, llwyddodd droeon i'w gael ei hun yn cerdded drwy'r *hen sglyfath Dwll Mawr*, yn berygl marwol iddo'i hun a phawb arall.

Roedd ganddo, fe gofir, enwau gwahanol ar bawb a phobman a phopeth, gyda'r rhagddodiad clasurol o *hen sglyfath*, neu *hen sglyfath gachu* yn goron ar ei ymadrodd, waeth pwy fyddai'r cwmni. A dyna oedd Twnnel Merswy i John Preis – dim byd mwy nac amgenach na *Hen sglyfath Dwll Mawr*, rhywle i hwyluso cerddediad crwydryn ar hyd y *Jóseffwt* (y briffordd) i'r ddinas ddihenydd. Dywedid y byddai hefyd yn sôn am gerdded drwy'r Twnnel fel *mynd ar hyd yr hen bont 'na*, yn rhyfedd ddigon. Daeth *y glas, y gloyw, yr hen docyn baw sglyfath* (enwau difrïol John ar blismyn) ar ei draws yn cerdded drwy'r Hen Dwll Mawr droeon, a bu aml i drybestod wrth gludo John ymaith. Âi'r heddlu â fo'n ddigon pell o geg y twnnel – cyn belled â dinas Caer weithiau – a'i ollwng yn fan'no. Ond cyn wired â phader, buan y gwelid John yn ei ôl ym Mhenbedw ac yn barod i droedio'r llwybr cul unwaith yn rhagor. Creadur penderfynol – hwnna ydi o!

O'r Twnnel i Goedtyno

Un tro, cyrhaeddodd John Siop Capel Ucha mewn cyflwr pur ddifrifol. Edrychai'n giami ac roedd chwydd mawr ar un ochr i'w ben.

Oes gen ti'r ddannodd, John? gofynnodd y Nyrs.

Gan nad oedd unrhyw synnwyr i'w gael a bod John yn gwrthod yn lân â thynnu'i gap i ddangos ei ben, bu'n rhaid ffonio am y meddyg. Diwedd y gân fu mynd ag o i'r ysbyty ym Mangor. Ni chlywodd Nyrs Lewis na neb arall air ymhellach na chael gwybod beth oedd yn bod arno.

Yn fuan wedyn clywodd Robert Lewis, yn y siop, sibrydion "bod rhyw bwythau oedd ar ochr pen John Preis wedi casglu", a'r tro nesaf y galwodd John heibio i Goedtyno gofynnwyd iddo'n blaen beth oedd achos yr holl helynt. Cafwyd atebion cymysglyd ac annelwig ond roeddan nhw'n ddigon i roi rhyw fath o esboniad ... *wedi cychwyn cerddad drw'r Hen Dwll Mawr am Nerpwl ... fi a'r Glas yn powlio hyd y lôn* ... Roedd hi'n amlwg bod rhyw ymrafael corfforol wedi bod rhyngddo a'r Glas a'i fod wedi gorfod mynd i'r ysbyty i gael pwythau. Dihangodd o'r ysbyty a'i 'nelu hi am ddiogelwch a chroeso Coedtyno. Un fel'na oedd John.

Roedd Coedtyno'n un o'r ychydig lefydd oedd ar frig rhestr John Preis, ac fel yr heneiddiai galwai'n llawer amlach yno. Un tro, roedd o wedi gwneud rhyw lanast yno ac oherwydd iddynt orfod darllen y *Riot Act* iddo, nid am y tro cyntaf 'dw i'n siŵr, fe ddychrynodd John braidd a llyncu rhyw fulyn bach. Tybiodd teulu Coedtyno eu bod yn wirioneddol wedi pechu'n ei erbyn ac na ddeuai yno byth mwy.

Ond nid pobl i ddal dig yn eu herbyn oedd teulu caredig Coedtyno. O, na. Yn ei ôl y daeth yr hen Breis, ac ar sgwâr Capel Ucha daeth wyneb yn wyneb â Robert Lewis, oedd ar ei ffordd gyda Richard John Owen i dorri'r fynwent.

Sut wyt ti, John? gofynnodd gŵr Coedtyno'n betrus.

O's 'na rywun i lawr 'na? oedd ei ateb, gan gyfeirio â'i fys at Goedtyno.

Wel, 'dwn i ddim sut y bydd hi arnat ti, cofia. 'Dw'i'n ofni na chei di fawr o groeso gin y merchaid am be wnest ti.

Cododd John ei ben a'i thuthio hi'n syth am Goedtyno heb gymryd arno fod dim byd wedi digwydd.

"Uwch y weilgi..."

Go brin bod John Preis o anian lenyddol, ond efallai iddo rywdro glywed englyn adnabyddus Dewi Wyn o Eifion i Bont y Borth. "Uchelgaer uwch y weilgi ...", a chofio un gair yn unig ohono. "Y weilgi", ebe'r bardd, ac felly John yntau. Dyna sut y cyfeiriai at y môr bron bob amser – *y weilgi*, ac, yn wir, un o wŷr *y weilgi* oedd cyfaill iddo, Dafydd Arthur Williams, Tyrpaig Clynnog, morwr wrth ei alwedigaeth. Bu'n hwylio'r moroedd am chwe blynedd a deugain cyn llyncu'r angor ym 1972.

Hyd y gwyddom, doedd yna'r un dafn o heli yng ngwaed John Preis. Dyn y lonydd, y meysydd a'r bryniau oedd John o'i gorun i'w sawdl, llongwr tir sych os bu yna un erioed. Ond, am ryw reswm, roedd ganddo awydd mawr cael rhoi ei droed ar fwrdd llong. Rhywbryd yn y cyfnod rhwng y ddau ryfel byd cafodd John weld gwireddu ei freuddwyd. Cafodd fynd gyda Dafydd i Lerpwl (am y tro cyntaf erioed), ac nid yn unig mynd ar fwrdd y llong *S.S. Adrastus* y Blue Funnel Line, ond hefyd gysgu noson arni. Dyna i chi beth oedd antur. Ac rwy'n siŵr ei fod wedi cael digon o faco gan y criw, os nad ambell i joch o rum yn ogystal. Mae'r hyn a ddigwyddodd ar fwrdd yr *Adrastus* y noswaith honno bellach yn un o fabinogi anfarwol John Preis.

O'r funud y cerddodd dros y gangwê i'r llong daeth John yn ffefryn ymysg y criw brith oedd ar ei bwrdd. Buont yn sgwrsio a chael hwyl garw drwy gydol y gyda'r nos, a chafodd John ei ddigoni â sigarennau. Byddai wrth ei fodd yn smocio, a dywedir y byddai'r hen 'Ddoctor Bach', Doctor Rowlands, Llanaelhaearn, yn rhoi dwy sigarét i John bob tro y deuai ar ei draws. Un tro, dim ond un sigarét oedd gan y doctor i'w rhoi iddo. Phlesiodd hynny mo' John, ac fe'i gwrthododd yn swta. *Cadw hi rhag ofn i ti fod yn dda wrthi.*

Daeth yn gyfaill mynwesol i un arbennig iawn o griw yr *Adrastus*, sef mwnci a gludwyd o bellafoedd byd gan un o'r llongwyr. Cymerodd John at yr anifail – y *mynci-babŵn* fel yr arferai ddweud – yn rhyfeddol, a chymerodd yr anifail ato yntau hefyd. Dotiodd y ddau ar ei gilydd. Dechreuodd John siarad iaith mwnci ac fe daerai fod y mwnci'n ei ddeall. A phan noswyliodd pawb aeth y mwnci yntau i glwydo – hefo John Preis. Pan dynnodd John ei hen ffaga o 'sgidiau oddi am ei draed chwyslyd, gafaelodd y mwnci yn un ohonynt yn union fel petai ogla tamp llawr fforest y Congo arni, a rhedeg a neidio ar y dec gan ei chwifio'n fuddugoliaethus uwch ei ben gerfydd hynny o garrai oedd arni. Neidiodd John hefyd a sgrialodd ar ôl y mwnci, ei ymlid ar hyd a lled y llestr, a'i gornelu yn nhrwyn y llong. Cipiodd ei esgid werthfawr o'i balfau lladronllyd a'i gwadnu hi'n ei ôl am ei wely. Roedd Dafydd Tyrpaig yn ei ddisgwyl yn eiddgar, ac wedi dychryn, braidd.

Lle gythral fuost ti, John?

'Rhen sglyfath diawl mynci-babŵn 'na 'di dwyn un o'n 'sgidia i, 'sdi. 'Dwi'n gweld dy fod ti wedi ca'l gafa'l arni.

Do, siŵr Dduw. Mi â i i'r hen sglyfath gwely 'na heno 'ma yn y'n 'sgidia, 'sdi.

Ble ma'r mwnci bach, dwad?'

Ma'r hen sglyfath mynci-babŵn ddiawl yn y weilgi, 'sdi. Hi hi.

Y fath dosturi! Ie'n wir, oerion ddyfnion ddyfroedd y Merswy fu tranc un truenus estron bach dwylo blewog ddaeth wyneb yn wyneb â chynddaredd didrugaredd John Preis. Na, 'doedd gan berchennog yr hen ffaga budron a drewllyd fawr o barch at anifeiliaid, rhaid cyfaddef.

Daeth ei gastiau rhyfedd a drygionus i glyw gwerin gwlad yn fuan yn ei yrfa fel crwydryn, ac roedd pawb yn ofalus beth a dd'wedent wrtho a ffordd y byddent yn ymddwyn tuag ato. Rhaid oedd bod yn dra gofalus, rhaid oedd troedio fel y senga cath ar farwor. Byddai'n beryg bywyd pechu'n ei erbyn.

Arswyd

Trigai ofn, yn wir, arswyd, nid yn unig yng nghalonnau mwncïod Cymru a Lerpwl, ond mewn aml i galon pan fyddai John Preis hyd y lle. Nid bod yna unrhyw beth i'w ofni, fel y gwyddom, oherwydd roedd yn ddigon diniwed yn ei berthynas â'r cyhoedd yn gyffredinol. Fel hyn y mae Dora Richards, Cemais, yn disgrifio'r gwahaniaeth rhwng John a gweddill crwydriaid y byd.

Pan oeddwn blentyn yn Aber-erch 'doedd dim yn anghyffredin mewn gweld tramp ar y ffordd pan elem i'r ysgol neu ar ein ffordd adra. Mae'n debyg mai y nhw o neb a fyddai'r bodau i'w hofni

> *fwyaf. Byddai eu gwisg a'u 'sgidiau mawr, gyda chwdyn budur ar eu gwar, yn eu gwneud mor wahanol i bawb arall. Am a wyddem ni, blant, 'doedd yr un ohonynt yn medru siarad, ac yn waeth fyth tueddent i guddio'u wynebau. Yn ôl a wyddem ni, blant, 'doedd gan y tramp na thŷ na theulu, dim ond dibynnu ar ganiatâd y ffarmwr i gael cysgu noson yn y sgubor neu yn y tŷ gwair. Byddai rhyw ddirgelwch dieithr yn perthyn i bob un ohonynt ac eithrio un. John Preis oedd yr un hwnnw ... ond am ryw reswm 'doedd gen i mo'i ofn, er mai trempyn go iawn ydoedd. Mi roedd yna rywbeth yn wahanol ynddo.*

Er hynny, roedd ei olwg, ei ymarweddiad, ei aflendid corfforol, ei rwygo a'i regi, ei fygythiadau a'i ymddangosiadau annisgwyl yn ddigon i roi hartan i ambell un. Dychrynwyd llawer o bobl ganddo. Gallai ei weld fod yn ddigon, ie, hyd yn oed i anifeiliaid.

Yn Arfon

Yn ôl ei harfer roedd Annie May Williams, Drws-y-coed Isaf, wedi codi'n fore fel roedd y wawr yn torri. Wrth fynd ati i odro, pwy welai yn dod gyda'r clawdd hefo'i ffon fawr ond John Preis. Roedd o'n amlwg mewn hwyliau drwg, yn gweiddi a rhegi, a'r defaid yn mynd i bob cyfeiriad. Roedd o eisiau dŵr poeth ar ei de, a rhywfaint o fara menyn a chaws. Mewn rhyw dŷ gwair yn rhywle y bu'n cysgu – a hyn sy'n ddweud diddorol – roedd yr olwg arno'n ddigon a dychryn *hyd yn oed y cŵn*.

Ac, wrth gwrs, bygythid plant gan rieni y byddid yn nôl John Preis atynt pe na fyhafient, yn union fel bygwth Dyn y Llong Fawr neu Fwcibo. Pan welid John yn dod trwy bentref, byddai'r plant mawr yn galw enwau arno a'r plant bach yn ei sgrialu hi o'r golwg.

Ym mlynyddoedd y pedwar a'r pumdegau gweithiai Hugh Jones o Garmel yn Llandwrog, ym mecws Albert Lloyd a'i Fab. Gweithiai, ar ei ben ei hun, drwy'r nos. Dychrynodd fwy nag unwaith *wrth glywed cliced y drws yn agor a John Preis yn llusgo'i hun i mewn a gofyn 'Sgin ti hen sglyfath o hen dorth ga i?'*

O'r un ardal, cafwyd atgof hunllefus, ond digri iawn, gan Angharad

Tomos (un a sgrifennodd gymaint ei hun am wrachod a 'ballu!).

> *Byddem yn byw ddwy filltir o'r lôn fawr, a fyddai Mam fyth yn ein gadael. Fodd bynnag, bu raid iddi bicio allan am bum munud. Tra oedd allan, galwodd John Preis, a dychrynwyd ni blant yn ofnadwy. Mynd ar ei rawd wnaeth o, ond cyrhaeddodd Mam yn ôl i ganfod un ohonom wedi mynd drws nesaf i ganfod help, a'r gweddill ohonom dan y bwrdd – ac un yn gweddïo ar ein rhan.*

Bron angen crwner

Tyddyn Crwner, Gyrn Goch, yw lleoliad yr hanesyn nesaf, sy'n sicr yn haeddu ei le yn seicoleg-ofn yr hen Breis. Fel hyn y bu, a hynny, o safbwynt John, yn hollol ddiarwybod iddo.

Arferai rhyw swancan o fodryb swel ymweld â theulu Tyddyn Crwner yn achlysurol ac aros yno am rai dyddiau. Gwisgai'n grand 'gynddeiris', ond ni phlesiai hynny'r teulu rhyw lawer gan y teimlent bod yr holl rwysg yn anghydnaws â'u ffordd syml a Chymreig hwy o fyw. Ac roedd gan yr hen fodryb hefyd dafod miniog fel rasal fyddai'n gallu brifo at yr asgwrn. Felly, rhwng popeth, nid oeddent yn rhy falch o'i gweld.

Yno roedd hi un tro, fodd bynnag, yn llond ei chroen ac yn gwafars i gyd, ac yn brysur yn y llofft yn ymwisgo ac ymbincio ar gyfer dal y Moto Coch i fynd i ymweld â'i chyfeilles, un Musus Ffowc yn Abersoch. Pan oedd Modryb ar ganol powdro, daeth Catherine, merch fach dair oed Tyddyn Crwner, i fyny ati i'r llofft. Roedd hi'n parablu pymtheg yn y dwsin.

Ma' Musus Ffowc yn drws rŵan, meddai. *Ma' hi 'di dwad i edrach amdanach chi.*

Brensiach annw'l! Ti 'rioed yn deud, ebychodd Modryb, *a finna ar gychwyn i'w gweld hi.*

Ac i ffwrdd â hi i lawr y grisiau i roi croeso i Musus Ffowc. Ond cafodd sioc ei bywyd pan welodd pwy, mewn gwirionedd, oedd *Musus Ffowc* Catherine fach. Neb llai na John Preis ei hun, yn sefyll yn fan'no'n flêr ac yn fudur, ac yn drewi fel burgyn. Ond er y byddai cael ail fel hyn, fel rheol, yn fwy na digon i dynnu Modryb yn llwyr oddi ar ei hechel, fe gadwodd ei phen am y tro gan ystyried mai diniweidrwydd ac anwybodaeth merch fach dair oed oedd achos yr holl gamsyniad.

Aeth Modryb rhagddi i bowdro'i thrwyn, dal y Moto Coch yn brydlon, a threulio orig ddigon difyr yng nghwmni Musus Ffowc, pwy bynnag oedd honno.

Bu'r digwyddiad diniwed hwn yn destun sbort cyson ar aelwyd Tyddyn Crwner, a phan adroddwyd yr hanes wrth fodryb arall, aeth honno i chwerthin yn aflywodraethus gan beri iddi ruthro am y tŷ bach rhag a fo gwaeth. Gwaetha'r modd, methodd â chyrraedd y noddfa mewn pryd, ac wrth dramwyo llawr y gegin-bach ar ei ffordd yno, gwlychodd ei blwmar, druan ohoni!

Eler yn union i Elernion

Daeth 'rhen Breis i Drefor hefyd, ac i Elernion pan oedd Edwin Ellis (Cae Cropa) yno'n cadw pentiriaeth, a hynny'n fuan ar ôl iddo briodi (Edwin, felly, nid John!). Pan oedd Edwin wrthi'n brysur yn godro, rhuthrodd ei wraig i'r beudy fel gafr ar d'ranau. Roedd mewn dygn fraw.

Ma' 'na ryw ddyn rhyfadd, a golwg y cythra'l arno fo, wedi dwad yma. Fedra i'n fy myw ei ddallt o'n siarad!

Dyma roi'r bwced i'r naill du a mynd i geisio datrys dirgelwch yr ymwelydd hynod. John Preis oedd hwnnw, wrth gwrs. Gofynnodd Edwin i'w wraig wneud paned a brechdan gig i John, ac aeth y ddau ddyn i mewn i'r beudy a dechrau ymgomio.

Toc, cyrhaeddodd paned boeth a chlamp o frechdan gig dew i gadw John rhag llwgu. Yn ôl ei arfer, ni ddwedodd air o ddiolch, dim ond cipio'r frechdan, bwyta'r cig yn unig, a thaflu'r gweddill i ganol y biswail. Dyna un o ffyrdd hyfryd a chwrtais John Preis o ddweud *Diolch*.

Yn Aber-erch

Gwraig arall gafodd ei dychryn gan John oedd gwraig Prior, Aber-erch. Mynd yr oedd hi un bore o'r gegin i'r dêri a chafodd gryn fraw pan welodd John Preis yn dod i'w chyfarfod o gyfeiriad y beudy. A'i gyfarchiad?

'Sgynnoch chi ddim hen gap ga' i, musus?

Roedd hi wedi dychryn cymaint nes gafaelodd yn y cap agosa i law a'i roi yn syth i John. Cap ei gŵr oedd hwnnw, ac i wneud pethau'n waeth, ei gap gorau, cap yr ymfalchïai'n fawr ynddo.

Ond mae diwedd hapus i'r stori. Ar ei ffordd oddi yno fe daflodd John Preis y cap dros y clawdd i'r cae.

"Yn y beudy isel, gwael ..."

Rai blynyddoedd yn ôl gwnaeth Ffilmiau Daron, dan gyfarwyddyd Robin Gruffydd, ffilm fer am John Preis. Ynddi mae Idwal Morris yn cofio pryd, ac fel, y daeth wyneb yn wyneb â John am y tro cyntaf, a'r modd y dychrynodd fwya 'rioed. Meddai:

> *Pan o'n i'n hogyn pymtheg oed, mynd yn was i Hafod Lwyfog, Nant Gwynant, a Goronwy, ffarmwr Hafod Lwyfog, yn deud wrtha i ... am "roi tamaid i'r gwartheg ... yn y bora". Dyma fi yno'n y bora, codi chwech ... a dechra rhoid ... tamaid iddyn' nhw. Champion. Mynd ymlaen i'r ochor arall; dyma fi i'r pen. Dyma 'na sgrech o'r gwair! Dyma fi'n dychryn am 'y mywyd a rhedeg allan. Ac allan es i, a dyma Goronwy'n dwad i fyny wedi bod rownd defaid, a dyma fi'n deud: "Ma'na rwbath yn y gwair 'na — 'dw i ddim yn gwbod be' ydi o". A neuso ni ffeindio mai FO oedd o. Dechrau Ebrill oedd hi ym 1956 ... mi ro'dd y peth glas ar ei ôl o, yn ei feddwl o, am ei fod o wedi bod yn g'neud rhyw dwrw ym Meddgelart, rhyw ffraeo a ballu yn fan'no ... cuddiad oedd o ... ro'dd 'na wair drosto fo — dim ond ei ll'gada fo oedd rhywun yn ei weld. Dau lygad mawr yn serennu ar rywun ...*

Yng nghanol fisitors

Yn Nefyn fe drodd yr arswyd yn ddigrifwch pan ddaeth John i ddrws cefn y llety ymwelwyr a gadwai Jane Enid Davies. Bore Sadwrn oedd hi, bore prysura'r wythnos gan y byddid yn 'newid fusutors' bryd hynny. Cafwyd pum munud i lenwi tun triog melyn John â the, tun arall hefo cacennau a gofalu rhoi pres mân yn ei dun baco fel arfer. Ac i ffwrdd â John yn ddigon bodlon.

Wedi rhuthr y glanhau a'r newid gwlâu, daeth yn adeg croesawu'r fisitors newydd. Pan aeth Musus Davies i ffenest y parlwr ffrynt, bloeddiodd:

Genod bach! Edrychwch drwy'r ffenast!

A dyna lle'r oedd John Preis yn yfed ei de, ac yn bwyta'i gacennau, heb boen yn y byd ar y steps wrth y giât. Gerllaw, roedd yr ymwelwyr newydd yn cyrraedd yn eu car. Arswydodd gwraig y tŷ a chwarddai ei merch. A phan aeth Mary Enid, y ferch, i egluro wrth y fusutors pwy oedd y creadur ar y steps, fe welsant hwythau hefyd ddigrifwch y sefyllfa, sefyllfa a barodd i un wraig o Nefyn gredu bod diwedd y byd gerllaw!

Gallai ymddangosiad John achosi braw i rywun na fyddai'n ei adnabod. Dyna'n wir a ddigwyddodd i Bob James pan ddaeth i fyw ym Mhant-y-ffynnon, Gurn Goch, a chael John Preis yn codi fel drychiolaeth oddi ar lawr y cwt malu. Y tro hwnnw, ni ofynnodd am fwyd o gwbl gan fod Mrs. Pritchard, gwraig Tŷ Capel Seion gerllaw, yn ymorol am damaid o frecwast iddo. Un tro, pan aeth hi i edrych ar y gasgen a ddaliai ddiferion y lander, beth a welodd ond brechdan gig wedi ei thaflu i'r baw gerllaw. Ie, anniolchgarwch arferol John Preis.

Cadw'n gynnes

Byddai John yn cysgu'n aml mewn tas wair, yn ogystal ag mewn tŷ gwair. Byddai hyn yn codi arswyd ar ffermwyr a ofnent bod matsys gan John ac y byddai'n eu defnyddio i danio *hen sglyfath hen fwg.*

Pan faglodd gweithiwr boreol, Wyn Williams o'r Fron, dros gorpws John, a hwnnw'n cysgu'n sownd a chlyd yn un o odynnau gweigion y gwaith brics yng Nghaernarfon, y cyfarchiad siriol a gafodd oedd hwn.

Hen gachu hen draed mawr gin ti'r sglyfath!

Roedd ail air y cyfarchiad bron mor gyfarwydd â'r cyntaf a'r olaf.

Roedd John y smociwr yn falch o gael llefydd cynnes i gysgu ynddynt, yn arbennig yn oerni'r gaeaf. Hoffai'n arw Y Giás (Gwaith Nwy) mewn trefi fel Porthmadog a Phwllheli, ac yn aml fe gysgai ar ben y côcs nes byddai'n stemio fel ceffyl rasio. Dyma fel yr edrydd y newyddiadurwr Emyr Williams amdano yn yr *Herald Cymraeg* (2003):

> *...o sôn am sychu a stemio, ei hoff fan aros ar dywydd gwlyb ac yn y gaeaf ydoedd y 'Gas Works' ym Mhorthmadog, lle'r oedd digon o wres, wrth gwrs. Sawl tro cafwyd hyd iddo yn cysgu ynghanol y 'cokes' cynnes! A mwy nag unwaith roedd yn cysgu'n braf a'r 'cokes' wedi llithro drosto.*

Yng nghyd-destun y Giás fel *hoff fan aros*, 'dyw Emyr Williams ddim yn bell o'i le. Ymddengys bod mwy o groeso iddo ym Mhorthmadog nag ym Mhwllheli.

Un noswaith oer a gwyntog, rywbryd yn y pumdegau, roedd teulu Tŷ'r Ysgol, Llanarmon ger Chwilog, ar eu traed yn hwyr oherwydd bod hen gyfaill wedi galw. Huw Robaits, neu Huw Plas Nant fel y'i gelwid, oedd wedi galw, hen adroddwr poblogaidd a chwmni difyr dros ben. Yn fuan wedi i'r cloc daro hanner nos, clywyd curo trwm ar ddrws y tŷ, a rhywun yn tisian a phesychu a chrachboeri'r tu allan. Agorwyd y drws a rhuthrodd John Preis i mewn yn glafoerio, heb na gwahoddiad na chyfarchiad, gan gomandio'n syth.

Ty'd â hen sglyfath te i mi, 'nei di?

Cafodd ei bowlenaid o de yn ddiymdroi, a rhywbeth i'w fwyta. Beth, tybed, a'i dygodd i Lanarmon mor hwyr ar noson aeafol? Yn ôl a ddeallwyd, roedd o wedi ei gael ei hun ynghwsg yng nghynhesrwydd y Giás ym Mhwllheli, ond fe ddigwyddodd rhywbeth yno, rhywbeth digon tramgwyddus mae'n debyg. Unig sylw John oedd *rhyw hen sglyfath faw diawl, achan*. Yr heddlu, tybed? Diwedd y gân yno fu ei hel allan i'r fagddu, ac roedd rŵan, *via* Llanarmon, ar ei ffordd i glydwch a diogelwch a chroeso'r Giás ym Mhorthmadog.

John, Wil Sam a rhagoriaethau'r Giás

Cadarnheir y cyfan am gariad John Preis at y Giás ym Mhorthmadog yn y sgwrs ddifyr honno â Wil Sam tua diwedd y 1950au. Sôn y maen' nhw am angen John i gael trowsus gwell o rywle.

JP   *Ei hen odra' fo, achan. Mae o gin i e'sdalwm 'fyd, cofia.*

WS   *Mae o 'di para'n olêw.*

JP   *Iesu, yndi. Welish i fi'n ca'l un yn y Giás yn Port gin Ifan 'sdi, 'te ... Mi gadish i Ifan yno bora, achan ... do, achan. Ew, ma' 'na wres yno, achan.*

WS   *Oes 'na?*

JP   *'Esu mawr, oes.*

WS   *Ydyn nhw'n stocio'n drwm yno?*

JP   *Arglwydd yndyn achan. Mi fydda i'n llenwi'r ... hen gythral hen beth 'na 'sdi.*

WS   *Ia.*

JP   *Ag yn pwyso ar ryw hen beth i roid o arno fo achan.*

WS   *Ia. Chdi fydd yn sieflio pan ei di yno?*

JP   *Ew ia, achan. Dim cythral o lol efo fo ond i fwrw fo i'r hen beth s'dani, achan.*

WS   *Ia.*

JP   *Pwyso ar hen beth arall ... 'sdi.*

WS   *Fydd 'na rywun efo chdi yn y nos, 'ta dy hun byddi di?*

JP   *Arglwydd, bydd.*

WS   *Bydd?*

JP   *Bydd tan chwech 'sdi. Bydd yn 'r Arglwydd. A wedyn mi fydd 'na rywun arall wedyn 'sdi.*

WS   *Ia.*

JP   *Debyg iawn.*

WS   *Ia.*

JP   *Ma'r peth yn well o'r hannar mwya'n byd losgan nhw, 'sdi.*

WS   *Yndi, yndi.*

JP   *Tydi'r cythral yn da i ddim byd ond 'i ddifa.*

WS   *Be ma' nhw'n losgi yno dwad?*

JP   *O, ryw hen beth mân 'di o ... welish i un bras yno 'sdi.*

WS   *Ia?*

JP   *Ia ...*

Dro arall cysgai yn lladd-dŷ Harri Newell. A phan ym Mhorthmadog fe safai, ambell nos Sadwrn, o flaen y siop sglodion yn gofyn i ryw lafnau ifainc am tships a sigaréts. Byddai hefyd yn smocio pwt o getyn, a dywedid y byddai hwyliau pur dda arno petai pinsiad go-lew o ddail te yn y cetyn!

Llwybr llaethog

Cafodd aml i dro trwstan, yn arbennig ar yr achlysuron hynny y byddai'n ei helpu ei hun i eiddo pobl eraill, a llefrith yn un o'r gwrthrychau pennaf a chwenychid, ac a 'gymerid' gan John Preis. Syched tra'n cerdded, yn arbennig yng nghraster yr haf, oedd gan amla'n gyfrifol am y fath ymddygiad. Roedd cerdded lonydd gwledig, ac yn arbennig gelltydd fel y rheini geid ym mro mebyd John yng Nghapel Ucha Clynnog, yn codi syched affwysol ar y creadur. Dyna pam y byddai mor falch o gyrraedd stelin (stand llaeth) ambell i fferm. Ond yno'n aml, ysywaeth, ceid dechrau gofidiau.

Mae un hanes amdano yn cerdded o Feddgelert am Y Waun-fawr ac yn gweld caniau llaeth rhyw ffarm yng nghyffiniau Betws Garmon. Roedd ganddo gythra'l o syched a chododd gaead y can gan stwffio'i ben i mewn ynddo i gael llymaid. Felly y bydda fo'n ei wneud. Ond y tro hwn aeth i gaethgyfle arswydus. Aeth ei ben yn sownd i mewn yn y can llaeth. Gwingodd a cheisiodd ymryddhau, ond ym mhoethder y frwydr tros ryddid trodd y can drosodd a dywedir y bu bron i John druan â boddi ynghanol yr hylif cannaid.

Galwai'n aml am ddiod o lefrith ym Mhrior, Aber-erch. Llenwai ei fol ac yna âi i gysgu yn y tŷ gwair. Un bore, dychrynodd gwraig y lle pan ar ei ffordd o'r dêri i'r beudy. Clywodd sŵn rhyfedd a gwelodd olygfa ryfeddach.

Huw! Huw! Brysia, brysia! 'Drycha pwy sy'n fa'ma.

A dyna i chi olygfa! John Preis oedd yno ac wedi mynd i'r afael â'r can llaeth, yn ei ffordd arferol ei hun, a'i ben, nid am y tro cyntaf na'r olaf, wedi mynd yn sownd yng ngwddw'r can. Y tro hwnnw achubwyd

John – a'r llefrith! – rhag a fo gwaeth.

Digofaint

Ond nid cael diferyn o ddiod fyddai pob ymwneud John â chaniau llaeth. O, na! O bechu'n ei erbyn trwy wrthod iddo ymborth neu do uwch ei ben, byddai dial yn sicr o ddilyn. Roedd y can llaeth yn darged amlwg a diogel i hen gnaf mor gastiog â John, ac aml dro cafodd dyn y lorri laeth gryn drafferth i godi'r can oddi ar y stelin i'r lorri oherwydd ei fod mor drwm. Rheswm da paham! Roedd 'rhywun' wedi rhoi pentwr go dda o gerrig ynghanol y llefrith. Erbyn canfod y drygioni byddai'r 'rhywun' euog hwnnw'n iach ei groen rai milltiroedd i ffwrdd, ac fe'ch taerai'n ddu-las na fu ar gyfyl unrhyw gan llaeth yn unman.

Bwriodd ei lid ar ffarmwr go flin ym mhlwyf Garndolbenmaen un tro trwy ollwng torchan neu ddwy i'r can i droi'r cynnwys yn ysgytlaeth pridd gydag ambell bry genwair anfoddog yn ceisio nofio ynddo i roi gwell blas arno! Dyna un rheswm go-lew dros geisio osgoi pechu yn erbyn John Preis.

Dywed Dora Richards fod iddo ochor ddialgar iawn a gallai ar brydiau fod yn greadur bach pur ffiaidd os y'i croesid mewn unrhyw ffordd. Bu iddo unwaith droi caniad o lefrith ar ben y lôn wrth iddo ddychwelyd o ryw ffarm mewn storm o ddialedd at y teulu hwnnw.

Llefrith i'r gath – neu'r gath i'r llefrith

Os oedd angen tipyn o ddiod ar y dyn, doedd gythra'l o ots pwy oedd piau'r llefrith na'r caniau. Hyd yn oed llefrith Coedtyno, lle câi John y fath garedigrwydd. Mae gan Harri Parri stori ddychmygol ddoniol am gath mewn buddai gorddi. Dyma i chi stori wir am gath mewn can llaeth.

Safai beudy Coedtyno ryw dri lled cae o'r tŷ, ger capel y Methodistiaid yng Nghapel Ucha Clynnog, capel sydd bellach wedi ei hen ddymchwel. Un bore aeth y ffarmwr, Gwyndaf Lewis, yno'n ôl ei arfer i odro'r gwartheg. Yr arferiad oedd gadael y can a ddaliai odriad y noson cynt mewn dŵr yn y dêri i'w gadw'n oer a ffres. Sylwodd

Gwyndaf bod caead y can llaeth ar lawr, a gwawriodd arno'n syth beth, a phwy, oedd yn gyfrifol am hynny.

O, mae'r hen Breis wedi bod yma'n prowla'r plygain ac wedi bod â'i drwyn yn y can, meddyliai, gan fod John wedi bod hyd y fan y diwrnod cynt. Yn y caitsh gwair ger y beudy y byddai'n arfer cysgu.

Pam, o pam, na fyddai'r gwalch wedi rhoi'r caead yn ei ôl?

Yn ddisymwth, trawodd ei lygaid ar rywbeth gwirioneddol arswydus. I mewn yn y can, ynghanol y llefrith, roedd cath wedi boddi, a'i thraed ar i fyny fel mastiau llong. Yn ddiymdroi fe'i tynnodd, yn diferyd, o'r llefrith a'i rhoi o'r neilltu, gyda'r bwriad o ddychwelyd i'r beudy i gael gwared â'r gath farw a'r llefrith llychwin, a mynd ati i lanhau'r can. Yn syth ar ôl gorffen godro aeth â llefrith y bore i'r stelin mewn da bryd, iddo gael ei gludo i'r Ffatri yn Rhydygwystl gan y lorri laeth.

Yna aeth ati i orffen teilo cyn dychwelyd at y tasgau anorfod o gladdu'r gath, taflu'r llefrith drwg a golchi'r can. Ond pan aeth i'r beudy'n ddiweddarach cafodd sioc ei fywyd. Roedd corff y gath yno, ond ni allai weld y can yn unman.

Brensiach annw'l! Mae 'nhad wedi mynd â'r can llefrith drwg i'r stelin.

Ni wyddai ei dad, druan, unrhyw beth am hanes anghynnes y llefrith hwnnw. Megis gafr ar drana', rhuthrodd Gwyndaf allan o'r beudy. Ond roedd yn rhy hwyr. Roedd y lorri laeth wedi bod, a bellach ar ei ffordd i Rydygwystl gyda dau gan llaeth Coedtyno. Cynhyrfodd yn lân ac aeth yn oer drosto.

Fodd bynnag, cafwyd rhyw fath o ddiwedd dedwydd i'r hanes er y golled. Gallodd ffonio'r Ffatri Laeth jest mewn pryd i rwystro dyfrllyd fedd y gath rhag rhoi ei gynnyrch anghynnes ym mhoteli llefrith y fro.

"Cymeryd"

Fe'm dysgwyd o'm plentyndod, ac fe ddysgais innau blant yr un modd, mai'r gair *cymryd* sy'n gywir, ac nid y gair *cymeryd* fel y'i hysgrifennir yn Gymraeg mor aml. Ond wyddoch chi, mae yna air ar lafar yn y parthau hyn, a'r gair *cymeryd* ydy hwnnw. Ac mae yna wahaniaeth ystyr, oes yn wir, rhwng *cymryd* a *chymeryd*. Yr ail oedd un o hoff foesau John Preis, gair iwffemistaidd, neu air llednais os mynnwch, am ddwyn. *Cymeryd*. Dyma ambell i hanesyn.

Roedd Idwal Jones, Bontnewydd, yn byw ym Mynglo Tan-y-graig ers talwm, ac yn nhas wair ffarm Tan-y-graig gerllaw y cysgai John Preis yn aml. Roedd yn oer ac roedd trwch anarferol o eira ar lawr. Moto beic a seidcar oedd gan dad Idwal ond fe'i cyfnewidiodd am Austin Seven. Cadwodd y gôt ledr a arferai ei gwisgo ar y moto beic, a'r noson arbennig honno roedd wedi ei thaenu dros fonet y car oherwydd yr eira.

Bore trannoeth doedd dim golwg o'r gôt yn unman. Yn fuan wedi hynny, a'r eira wedi dechrau cilio, datryswyd y dirgelwch pan welwyd y brawd Preis yn rhodio'n dalog i lawr y lôn – yn gwisgo'r gôt ledr golledig! Roedd dig'wileidd-dra John mor ddoniol fel na ddwedyd un dim wrtho a chafodd gadw'r gôt.

Gwlad y menyg gwynion

Galwai John hefyd yng Nghartrefle, Gurn Goch, yn ymofyn *hen sglyfath hen f'echdan*. Yna âi i Dyddyn Hywel at aelod arall o'r un teulu. Fel hyn yr edrydd Jean, y ferch, yr hanes.

> Roedd gan fy mam bâr o fenyg gwynion ac roedd wedi eu gadael ar ben y clawdd ger ei chartref yn Nhyddyn Hywel. Ond 'doedden nhw ddim yno pan gofiodd fynd i chwilio amdanynt. Mae'n amlwg mai John Preis oedd wedi eu 'cymeryd' wrth fynd heibio ar ei ffordd i bentra Gurn Goch.

Ond gwyddai John yn iawn nad gwiw iddo alw yng Nghartrefle oherwydd roedd peryg y byddai Nanw neu ei mam yn fan'no'n adnabod y menyg. Felly ...

> Pan gyrhaeddodd Gurn Goch aeth i weld Jac a Rachel Glanrafon, a rhyfeddod iddynt hwy oedd gweld pâr o fenyg gwynion am ei ddwylo.

Tybed a oedd 'rhen John wedi ffansïo ymuno â'r Mesyns?

'Cymerwch' a chwi a gewch

Un lle amlwg lle roedd hi'n weddol hawdd *cymeryd* oedd lobi neu gyntedd capel pan fyddid ar ganol oedfa yno. Mor hawdd yn wir oedd sleifio drwy ddrws y Capel Ucha a bachu côt oddi ar y peg pan ganai'r gynulleidfa, yn arbennig yn ystod oedfa nos Sul yn y gaeaf, a hithau'n dywyll ar y pryd.

Ond i John, roedd hi'r un mor hawdd *cymeryd* gefn dydd golau. Roedd mam Meira Braichdinas wedi cael hwyl garw ar dyfu ffa un flwyddyn. Caed yno gnwd toreithiog. Ond pwy, feddyliwch chi, ddaeth heibio, gweld y ffa, a *chymeryd* yn dra helaeth ohonynt? Cafwyd cnwd o godau gweigion yn garped gwyrdd hyd y lôn.

Gyda llaw, pe gwelid flodau bysedd cŵn wedi eu lluchio i bobman ar y ffordd, gwyddai'r cyfarwydd mai John Preis oedd yn gyfrifol am hynny. Byddai'n arferiad ganddo, am ryw reswm.

Pwdin reis

Ond yn ôl i Gwm Pennant. Un bore Sul roedd pawb o Fraichdinas wedi mynd i'r oedfa, pawb ond Mary Ann, y forwyn. Roedd y drws yn llydan 'gorad, a phan gyrhaeddodd John Preis o rywle cerddodd yn syth i mewn yn ôl ei arfer. Ar y pentan, yn arogli fel mêl y duwiau, roedd pwdin reis, ac aeth John i'r afael ag o yn syth, heb ddweud gair. Safai Mary Ann gerllaw fel delw gerfiedig, yn methu â dweud gair oherwydd ei hofn. Un peth a sylwodd hi. Roedd mwy o'r pwdin yn mynd ar lawr nag i geg John Preis. Cafodd ei wala, siŵr o fod.

Wedi 'cymeryd' y pwdin fel'na, mynegodd ei anniolchgarwch gyda'i ddirmyg cwbl amherthnasol arferol.

'Dwi'n gwbod ble w't ti'n byw, arthiodd arni. *Yn yr hen sglyfath hen dŷ 'na sy' ar ben y boncan i lawr yn yr hen bant 'na.*

A phan fyddai John wedi cael digon i'w fwyta, byddai'n aml yn 'cymeryd' gweddill y brechdanau, eu plygu a'u cadw dan ei gap.

Côt briodas a chôt dreifar lorri

Pwysleisiai John bob amser nad oedd yn lleidr. Dim ond *cymeryd* oedd o. Pan brynodd Jôs Penrallt gôt newydd i fynd i briodas ei ferch Begw, fe'i *cymerwyd* gan rywun. Pan welwyd John Preis yn ei wisgo'n ddiweddarach yn Nhangarreg, aed â hi oddi arno, cyn darganfod pwy oedd â'i piau.

Do, fe *gymerodd* John lymaid lawer tro o ganiau llaeth holl ffermydd y fro yn ddiwahân, ambell gôt, menyg gwynion neu bwdin reis, ond mater gwahanol fyddai *cymeryd* arian.

Cafwyd eira mawr iawn, fel y clywsom droeon, ym 1929, a hwnnw at bennau'r cloddiau, gan gynnwys cloddiau gallt serth Mur Sant rhwng Clynnog a Chapel Ucha. Ar y pryd roedd Nyrs Lewis (Coedtyno'n ddiweddarach) yn ddibriod ac yn lletya ym Mhlas-y-bryn yng Nghlynnog. Buwyd yn brysur yn torri llwybr iddi i fynd i Gapel Ucha ar achosion brys. Dyma'r adeg y cyfarfu'r Parchedig William Jones, Bwlan, â John Preis, ac fe adroddodd yr hanes yn ei deyrnged iddo yng Nghapel Ucha ddydd ei angladd. Bryd hynny, myfyriwr oedd o, a bu'n rhaid iddo fo a nifer o bobl "gysgodi dros nos yn Siop Tan-y-graig". Un o'r bobl hynny oedd gyrrwr lorri ac roedd ei lorri fawr wedi mynd yn sownd yn yr eira gerllaw. Oriau lawer yn ddiweddarach cofiodd y dyn ei fod wedi gadael ei gôt yng nghaban y lorri, ac roedd £40 yn ei phoced. Aeth yn oer drosto.

Rhuthrodd i'w nôl ar unwaith, a chafodd gryn sioc pan agorodd ddrws y lorri. Pwy oedd yno, ar ei hyd yn cysgu'n braf, yn gwisgo côt y gyrrwr, ond John Preis. Cipiodd y gyrrwr ei gôt ac ymaflyd yn ei phoced. Roedd y pres, pob dimai ohono, yno heb ei gyffwrdd.

I'r ysbyty

Fel hyn y dywed Wil Sam am gyfansoddiad John Preis: *... mi wn gymaint â hyn: roedd John Preis wedi bod cyn iachad â chneuan am flynyddoedd meithion, a hynny ar draul esgeuluso'i hun ym mhob dull a modd. Hwyrach mai stori ryfedda'i fywyd o ydi'r un sydd ar ei garrag* *fedd o ym mynwant Capal Ucha Clynnog:*

JOHN PRICE
Bu farw Hydref 15, 1985
Yn 91 mlwydd oed

Nid yw'r *cyn iachad â chneuan* yn hollol wir oherwydd fe gafodd John ambell i bwl o afiechyd fel y gwelsom eisoes. Cafodd lid yr ymennydd yn ifanc, ac yna'n hŷn broblemau gyda'i ddŵr a'i goluddion, heb sôn am rai damweiniau. Fodd bynnag, ymddengys bod ganddo galon hynod o gref, ynghyd â chorff gwydn allai wrthsefyll elfennau'r tywydd ar eu gwaethaf. Ac fel y gellid disgwyl, cafodd beth trafferth gyda'i draed.

Bu lawer gwaith mewn ysbyty, ambell dro oherwydd salwch neu ddamwain, ond dro arall oherwydd ei angen am gynhesrwydd y lle, y bwyd a'r llety, a hynny'n arbennig yng ngerwinder gaeaf. Dihangodd oddi yno droeon hefyd, un tro a phibellau'n hongian yn sownd ynddo.

Dywed Emyr Williams yn yr *Herald Cymraeg* fod John wedi bod yn sâl lawer gwaith ar ochr y ffordd fawr, a hynny bob amser o fewn cyrraedd i Ysbyty Môn ac Arfon ym Mangor. Ie, mynd yn sâl o fewn dalgylch o tua deng milltir ar hugain i'r ysbyty, er mwyn cael mynd yno mewn ambiwlans, cael bath a newid ei ddillad. Roedd yn gofalu nad âi'n sâl o fewn cyrraedd ysbytai Wrecsam ac Aberystwyth, gan nad oedd ganddo ffrindiau yno i'w ymolchi a rhoi dillad glân iddo. Fe wisgodd John Preis fwy o ddillad ail law na neb yn y 'Deyrnas' mae'n debyg.

Ei hoff ysbyty
Mae'n wir dweud mai hoff ysbyty John oedd Ysbyty Môn ac Arfon ym Mangor. Roedd pawb yn fan'no'n ei nabod, ac ni fyddai angen iddo siarad iaith rhein chwaith (Saesneg). Gwaeth nag Aberystwyth a Wrecsam, fodd bynnag, oedd gorfod mynd i ysbyty yn Lerpwl, fel y bu'n rhaid iddo fwy nag unwaith.

Pan fu Jane Pritchard am driniaeth mewn ysbyty yn Lerpwl un tro, galwai John ym Mryn Myfanwy, Pontllyfni, i holi'n ei chylch gan fawr rybuddio'r teulu i'w chael hi adref gynted ag y bo'r modd, oherwydd y peryglon enbyd.

Mi diweddan nhw hi yn yr hen le hwnnw, 'sdi, oedd barn bendant John Preis. *A ph'un bynnag, eu hen ieithoedd eu hunain sy' ganddyn nhw yn yr hen le hwnnw*. Cadw'n glir o'r fath Gehenna oedd yr unig feddyginiaeth.

Traed yn lôn

Mae'n syndod na fu iddo gael triniaeth i'w draed ryw lawer, nid yn gymaint oherwydd yr holl gerdded a wnâi – roedd ei draed wedi hen g'ledu i hynny – ond oherwydd byddai'n arferiad ganddo gysgu ym môn clawdd a'i draed yn 'mystyn i ganol y lôn! Ceir digon o dystiolaeth i brofi bod hyn yn digwydd yn gyson trwy'r blynyddoedd.

Ei weld un tro yn gorwedd ar ei hyd yn y gwellt ar lan Llyn Cwellyn rhwng Betws Garmon a Rhyd-ddu wnaeth Emyr Jones, Llanrwst (Llanarmon gynt).

> *Roedd ei goesau a'i draed fel dau frigyn yn 'mystyn bron i ganol y ffor'. Ro'n i wedi dychryn, braidd, ac agorais ffenast y car a gweiddi arno, ond ni chym'rodd y gwalch unrhyw sylw. Mae'n syn fod ganddo goesa' o gwbwl!*

Mae John Glyn Jones, Y Groeslon, (Loj Tan-rallt ger Bwlch-y-moch), yn cofio fel y byddai'r hen Breis *yn cysgu ar fin y ffordd weithiau, a'i draed YN y lôn.*

A sonia Wil Sam yntau amdano'n ymyl londri Afon-wen yn *gorfadd yn y gwelltglas a'i draed yn y lôn bost (y Jósephwt, chadal onta), pan oedd traffig Awst ar ei brysura.*

Cofia Mair Owen, Glanrafon, Llanfaglan, ddod heibio i Gapel Curig gyda'i mam yn hwyr un noson, a phwy welai, dybiwch chi, yn gorwedd ar ei hyd ar ochr y ffordd a'i draed YN y lôn? Pwy arall ond John Preis.

Mewn sgwrs a recordiwyd ym 1985 mae Owen Williams (Now

Cilcoed) o Glynnog yn sôn am y peth. Meddai:

> *Welis i ryw Saeson ryw dro a finna'n dwad o gyfeiriad Pennarth.*
> *Mi stopion fi a deud bod rhyw ddyn – mae'n siŵr ei fod o'n sâl,*
> *meddan nhw – yn cysgu'n fan'no a'i draed o yn ganol lôn, a wnâi o*
> *ddim symud. Dyma finna'n deud mai rhyw dramp oedd o o'r topia*
> *'ma ... gorfadd hyd y lôn 'ma bydda fo, chi, a'i draed o ynghanol y*
> *lôn. Wnâi o ddim symud ei draed i neb, 'chi. Pan oedd y lorri laeth*
> *yn trio pasio, symudai o mo'i draed o gwbwl 'te ... ar y Lôn Ganol*
> *'na. Roedd o'n ddiawledig, 'chi!*

Ymateb Guto Roberts i hyn oedd:

Mae'n syndod bod ei goesa fo gyno fo!

Yn hwyr y nos ar y ffordd i lawr i'r traeth yng nghyffiniau Tudweiliog yn Llŷn y'i gwelwyd gan Mair Jones, Caernarfon. Rhyfeddodd wrth weld John yn cysgu ar y lôn, a hynny reit ar y tro mewn man hynod o beryglus. Meddai:

'Dwn i ddim sut roedd o'n fyw.

Byddai John yn arfer galw am fwyd a llety yn ei chartref yn Nhudweiliog ond ni châi fynediad i'r tŷ gan ei mam.

Ond mi fyddai Reuben a minnau yn mynd â bwyd iddo i'r lôn.

Dywed Mair Jones hefyd bod John Preis un tro yn yr ysbyty yr un pryd â'i thad. Synnwyd pawb. *Ar lawr dan y gwely roedd o'n cysgu am fod y gwely yn rhy feddal ganddo.*

O! 'nhraed bach i!

Ond yn ôl at y traed. Cafwyd stori go dda yn y papur bro, Lleu, ym Mawrth 1977, gan Annie May Williams, Drws-y-coed Isaf, oedd *yn ei adnabod, bryd hynny, ers llawer o flynyddoedd ...*

> *Rhyw fore dyma fo'n dod cyn i'r haul godi at ein tŷ ni ac araith*
> *ofnadwy ganddo.*
> *'Yli', meddai wrthyf, 'tyn hon, y diawl'.*
> *Es â fo i'r lle golchi, gan na fuaswn yn mynd ag o i'r tŷ rhag*
> *ofn iddo gario pethau na fuasem yn leicio. Eisiau i mi dynnu ei*
> *welington oedd o. Fedrwn i, yn fy myw, ei thynnu. 'Doedd gen i*

ddim llai na'i ofn o. 'Doedd dim i'w wneud ond mynd am gyllell fara a'i rhwygo. A wir, dyna oedd y boen, ei sawdl wedi chwyddo'n fawr â dolur hegar. Dyma fynd am ddŵr poeth a chlwt gwlanen iddo ei olchi ei hun, ac yna Dettol a bandej.

Roedd yn rhaid i mi ildio fy hen welingtons i iddo a thrwy lwc roeddynt yn ei ffitio. Ac felly yr aeth i rywle. Wel, beth a glywn wedyn, 'mhen sbel, oedd ei fod yn yr ysbyty efo 'septic foot'. Mae'n debyg fod y nyrsus, druain bach, wedi cael gwaith i'w gael yn lân – a hwyl, 'dwi'n siŵr!

Trin ei draed

Meddai Owen Williams, Cilcoed:

Mi gwelis i o'n dwad yma dro arall, a Glyn yn dwad yma o Dan-rallt o'i flaen o.

"Ma' John Preis yn dwad yma'n draed ei sana," medda Glyn. "Dwn i ddim lle ma'i 'sgidia fo. Arglwydd mawr, mi fydd golwg ar ei draed o!"

A hynny ganol gaea, a finna'n mynd â'r buchod i'r dŵr 'te. Roedd Glyn yn dal yma, a dyma Preis drw'r iard a'r baw yn nhraed ei sana ac i'r beudy. A finna'n mynd â phowliad o Oxo poeth iddo fo. Mi yfodd o ar ei dalcan. 'Dwn i ddim sut nad o'dd o wedi llosgi! A dwad i fyny i'r tŷ 'ma wedyn. Ro'dd Glyn Tan-rallt isio gyrru am ámbiwlans wedyn – i Borthmadog – i ddwad i'w nôl o. Mi ffoniodd o yma 'te ... a rhyw hogyn o'r pentra – Gruffydd Wyn mab Bronallt – o'dd yn digwydd bod yma, yn trio rhoi y sana am i draed o ... roedd yr ámbiwlans yma 'mhen rhyw hannar awr. 'Doeddan nhw'n ei nabod o! A roedd o'n martsio i mewn iddi'n braf, 'doedd?

Ac fe ychwanega Guto Roberts ei fod yntau'n cofio clywed am John yn Nhyddyn Mynyddig, Bangor, *cartra Wil 'y mrawd, a'i draed o'n ddrwg, ynte, ac yn friwia. Ac mi fuo yno am dd'wrnod ne' ddau.*

Yng Nghlynnog y bydda fo'n cael 'gneud' ei draed, hynny yw, yn cael torri ei ewinedd. Y gŵr a wnâi hynny iddo oedd John Hughes, Cefn, ac yn ôl un cofnodydd byddai'n *herio fod traed Price cyn laned a chyn iached â thraed hogyn ysgol ar ôl yr holl gerdded.*

Ar ddiwrnod angladd John Hughes, dywedid bod John wedi cadw draw o'r angladd ei hun ond ei fod, serch hynny, *yn stelcian o gwmpas y ffordd gul heibio'r tŷ. Gwyddai ei fod wedi colli ffrind.*

Yn oerni'r gaeaf

Sonia Owen Williams, Cilcoed, am un bore hynod o aeafol –

> ... roedd yma luwch o eira. Roedd Mam yn fyw 'radag honno a dim ond y hi a finna oedd yma pan ddaeth yr hen Breis heibio'r ffenast 'ma'n fan'ma.
>
> "'Sgin ti hen ddiod ga' i?" medda fo.
>
> Wyddoch chi be? Roedd o mor uffernol. Roedd o'n drewi gormod i ddwad i'r tŷ. Mi rhoddwyd o mewn rhyw gwt allan a rhoi te a brechdana iddo fo. Wedyn fedra fo ddim mynd o'no, yn na fedra?
>
> "Arglwydd, rhaid i mi gael cysgu 'na gin ti", medda fo.
>
> "Dwn i'm byd ble'r ei di," medda fi.
>
> "Mi a i i'r beudy; mi gysga i efo'r gwarthag," medda fo.
>
> "Na 'nei di wir," medda finna.
>
> I lawr i'r tŷ gwair wedyn, a finna'n dangos congol iddo fo – ro'dd hi'n lluwchio 'doedd? Thalai hynny ddim byd, yn na wnâi. Mi aeth o am gysgod i rhyw gongol, a dim chwa o wynt yno. Dyma'i bacio fo rownd efo bêls gwellt ac agor belan iddo fo – o danno fo yn fan'no 'te. Roedd o'n gweld ei hun yn glyfar 'ndoedd? A finna rŵan. Roedd o'n gythral am adal drysa'n 'gorad ... "Gofala di nad ei di ddim o'ma, Preis ... nes bydda i 'di codi bora 'fory!"
>
> Wedyn o'n i'n g'neud tân tua saith yn fan'ma 'te, ac mi es i lawr wedyn i edrach lle roedd Preis arni, 'te. Roedd o wedi dwad trw'r beudy a gada'l y ddau ddrws yn 'gorad, 'ndoedd. Mi alwais inna arno fo'n ei ôl – roedd hi wedi dechra rhewi ... – i'r tŷ gwair ... i mi ga'l bwyd a mynd â te i lawr iddo fo. Y munud cafodd o de, dyma fo off wedyn am Glynnog trwy ganol y cwbwl!

Yn yr ámbiwlans

Ar brydiau, byddai John yn bur falch o gael mynd i'r ysbyty petai ond i gael rhyw seibiant bach o'r holl grwydro, ac o gysgu mewn llefydd anghynnes. Roedd gwŷr yr ámbiwlans yn bur gyfarwydd â fo ac yn ei drin fel brenin pan y'i cludid ganddynt i'r ysbyty. Un o'r rheiny oedd John Wilfred Jones, Nefyn, a fu wrth y gwaith hwnnw am gyfnod o ddeng mlynedd ar hugain. Byddai'n ymweld yn gyson â ffermydd Llŷn ac yn gweld John Preis yn aml.

Un tro, cafodd alwad i fynd i fferm yn Nhudweiliog i fynd â John i'r ysbyty ym Mangor. Beth oedd ei anhwylder, nis gwn. Rhoddwyd y claf budr ar strejar, a'i roi i orwedd yn yr ámbiwlans. Y rhyfeddod oedd bod John, yn fan'no, ar wastad ei gefn yn y cerbyd, ac yn gweld dim byd ond awyr a choed a thoeau, yn gallu dweud yn union ble'r oedd bob cam i Fangor.

Pan y'i cludid yn yr ámbiwlans byddai'n rhaid rhoi bath iddo. Gwyddom nad hoff gan John na dŵr na sebon. Eto'i gyd, byddai'n gwbwl fodlon i ddynion yr ámbiwlans ei sgwrio a'i ymgeleddu, ond stori arall oedd i nyrsus benywaidd ymdrin â'i gorff. Wedi'r olchfa, rhyfeddai gwŷr yr ámbiwlans pa mor lân oedd croen John – roedd, yng ngeiriau un ohonynt, *fel tîn babi.*

Pa mor lân oedd ei groen wedi iddo heneiddio, tybed? Mae ef ei hun yn bur ddirmygus ohono. Arfon Jones sy'n dweud yr hanes, ac ymddengys mai wedi dianc o Fron-y-garth oedd John ar y pryd:

Y tro diwethaf i mi ei weld oedd ar ôl ysbaid hir. Ro'n i wedi clywed sôn ei fod mewn Cartref ger Porthmadog. Dechrau'r haf oedd hi, a'i gael yn un o'r beudái yn y bora, a chael sgwrs hir efo fo.

'Mi glywis i dy fod ti mewn Cartra,' meddwn.

'Be wnaiff rhywun mewn hen sglyfath o le felly a chroen rhywun yn mynd fel croen llyffant, yn gwylio rhyw focs jiwbilî ddiawl,' meddai yntau.

Mynd ymlaen wedyn i sôn am goed afalau, ac am goeden tua Henffordd oedd 'efo fala fel siwgwr', ac 'mi ddo i â rhai iti'r tro nesa.'

Ond mae'n amheus gen i os gwelodd John Preis y goeden byth wedyn.

Tybed mai tua 1977, neu'n fuan wedyn, y bu'r sgwrs fach ddifyr yna o weld cyfeiriad at *jiwbilî ddiawl*? Mae'n sicr na fyddai gan John Preis unrhyw beth ond dirmyg tuag at ddathliadau brenhinol Lloegr, epil y *rhein* a'r hen Ging Jorj hwnnw gynt â'i afadwch gwenerol.

Ar dân

Ei gofio yn yr ysbyty wna Owen Elias Owen, y llawfeddyg enwog, yn ei lyfr *Doctor Pen-y-bryn*.

> *Ganol nos daeth awydd smôc ar John a gwaeddodd dros y lle i gael sylw rhywun:*
>
> *'Tân!'*
>
> *Y munud nesaf roedd rhywun wedi gwasgu'r larwm gan feddwl fod yno dân go iawn.*

O Lan Llugwy, Capel Curig, yr aeth John i'r ysbyty bryd hynny. Bu Edward Roberts y ffarmwr ar ei draed gydol y nos yn dawnsio tendans ar John oedd â phoenau dirdynnol yn ei draed, ac yn griddfan fel petai ar farw.

> *Yr oedd y plant mewn sobrwydd yn methu â deall beth oedd ar John heb ddim byd i'w ddweud wrthynt ond galw geiriau mawr a griddfan.*

Yn y bore daeth Dr. Mostyn Williams o Fethesda i'w weld a sylweddoli mai *llosg eira ar fysedd ei draed* oedd achos yr holl firi. Ffoniwyd am ámbiwlans i'w gludo i'r ysbyty ym Mangor.

Yn fuan, meddai Margaret Roberts, *daeth hogia'r ámbiwlans â chadair braf i John a'i gario fel y gŵr bonheddig mwyaf. Y newydd nesaf amdano oedd ei fod wedi galw enwau drwg ar y gweinyddesau yn Ysbyty Môn ac Arfon ym Mangor ...*

Dianc ydi'r ateb

Yn ôl ei dystiolaeth ei hun bu John yn yr ysbyty *ddwsina o weithia'*, *achan*. Ond waeth i ble'r âi John, roedd yn siŵr o godi helynt yno! Mynd i'r ysbyty ar ei delerau ei hun fyddai o, neu felly y tybiai. Ambell dro byddai'n strancio rhag mynd er ei fod mewn cyflwr pur wael.

Un peth roedd wedi sylwi arno oedd y dodid cleifion oedd ar farw yn ymyl drws y ward, hynny, meddai John – yn gwbwl anystyriol – yn barod am eu hen focsus! Mynnai bob amser gael gwely'n ddigon pell o'r drws.

Un tro, dihangodd o Ysbyty Eryri oherwydd iddo weld rhai cleifion *yn cael pigiad yn eu tina nhw fel tasa clwy bustul arnyn nhw*. Rhywbeth hollol weddus a chyfiawn i'w wneud oedd dianc o ysbyty. Pan niweidiwyd John yn ei ben ryw dro, aed ag ef i Ysbyty Caer, ysbyty'r meddwl. Dihangodd John y munud y deallodd ym mhle'r oedd.

Be? Gada'l wnest ti? gofynnodd Gwyndaf Coedtyno iddo.

Ofn mynd 'r un fath â nhw o'dd gen i, 'sdi.

Cic gan fuwch

Cefais stori gan un dyn ámbiwlans sy'n dymuno aros yn ddienw. Dyma fel yr edrydd yr hanes.

> *Ar noson wleb ac oer a dau ohonom ar ddyletswydd ... yng Nghaernarfon, cawsom alwad bod gŵr wedi ei gicio gan fuwch ar ffarm Llwyn-gwalch yn y Groeslon.*
>
> *Roeddem yno 'mhen rhyw ddeng munud a gwraig y ffarm yn ein harwain at y beudái. Roedd rhyw bump o wartheg yno a rhywun ar lawr yn eu canol. Yn gyfarwydd â'i weld yn y cyffiniau, gwelsom mai'r trempyn John Preis oedd o ac ar ôl ei holi a'i archwilio am ychydig o amser gadawodd inni wybod bod ganddo boen yn ei ochor. Roedd ôl llefrith ar y llawr a phiser wedi troi. Roedd hi'n amlwg bod John wedi ceisio cael llefrith yn rhad ac am ddim fel y dangosodd gwraig y ffarm inni gan chwerthin.*
>
> *Wedi ei lapio mewn plancedi, aethpwyd â John i'r ámbiwlans. Roedd un ohonom gydag ef yng nghefn y cerbyd ar y siwrna i'r hen ysbyty Môn ac Arfon ym Mangor. Roedd iaith John dipyn yn anweddus ac roedd yn swnian am ddarn o frechdan ar hyd y ffordd.*
>
> *Ar ôl cyrraedd, roedd yn amlwg bod Sister Marian a'r staff yn ei adnabod yn dda ac roedd croeso mawr iddo. Cyn cael ei archwilio gan y meddyg gorchmynnwyd iddo gael bath. Wedi iddo ddod*

*yn ei ôl roedd swper mawr yn ei ddisgwyl ac am nad oedd gwely
ar gael darparwyd lle cyfforddus iddo yn 'Casualty' lle y cysgodd
drwy'r nos. Roedd brecwast mawr yn ei ddisgwyl yn y bore.*

*Wedi iddo gael ei ryddhau o'r ysbyty clywsom bod rhai aelodau
o'r staff wedi ei weld ... yn ffawdheglu ar lorïau gwartheg yn
trafaelio o Gaergybi i Lerpwl ...*

Yn ôl pob golwg, roedd John wedi cael croeso tywysogaidd ym
Mangor, ac wedi ymddwyn fel y mae'n weddus i dywysog ei wneud.
Ond gan mor oriog oedd John, ac mor afrywiog ei dempar, byddai, yn
aml iawn, yn gwbwl amhosib ei dinprwn mewn unrhyw ysbyty. Roedd
John yn bwriadu byw am byth. Mor ddiweddar â 1977 gallai ddweud
o'i wely wrth Robin Gwyndaf y geiriau herfeiddiol hyn:

*Ga' i fyw 'sdi, myn diawl, wrth bo fi ddim yn gneud cythral o lol efo
neb arall, 'te. A dyna be dw i'n ddeud. Fyta i mo'i hen 'nialwch o'i
hen fwyd nhw os na fydd o'n da i rwbath. Ma 'na betha'n ca'l ryw
hen 'nialwch o'rwthyn nhw. Ca'l ryw hen sdempar o'rwth ryw hen
sglyfaethod drewllyd. 'Esu mawr, oes mae 'na 'fyd, 'sdi. Dwi yn
deud 'te, Arglwydd Dduw.*

O'r ysbyty

Yn gynnar yn y saithdegau, ar gymhelliad ei mam, roedd Dorothy,
merch Caeau Brithion, Pwllheli, wrthi'n brysur yn tynnu llwch yn y
'stafelloedd ffrynt. Yn sydyn, clywodd leisiau a rhyw gynnwrf rhyfedd
yn dod o gyfeiriad y giât lôn. Aeth i'r ffenestr yn ddiymdroi i gael gweld
beth oedd achos yr holl weiddi.

*Ámbiwlans oedd yno, a John yn cael ei helpu i lawr ohoni, ac yn
dweud: 'Fydda i'n iawn yn fa'ma'. O dan ei gesail roedd pecyn, ac
yn y pecyn hwnnw roedd sosejys. Gelwais ar Mam i ddod i weld.
Roedd John wedi bod yn yr ysbyty a chan nad oedd ganddo unlle i
fynd iddo roedd wedi penderfynu mai acw y câi groeso.*

Cysylltwyd yn syth â Dafydd Parry'r ocsiwnïar, gan y gwyddai teulu
Caeau Brychion yn iawn am gysylltiad y gŵr hwnnw â sefyllfa ariannol

John Preis. Tra oedd y gŵr hwnnw'n gwneud rhyw fath o drefniadau ar gyfer John, aeth gwraig y tŷ ati i ffrïo'r sosejys a thorri brechdan neu ddwy i lenwi cylla'r hen frawd. Dyma, fe gredir, pryd y cafwyd lle iddo yn Y Cartref, hen wyrcws Pwllheli gynt, yn Yr Ala. Hwn oedd y cam cyntaf yn niflaniad John Preis, pen-crwydryn, oddi ar y ffordd fawr.

PEN Y DALAR

'Does wybod i sicrwydd yr union ddyddiad y bu i John Preis 'ymddeol' o'i grwydriadau. Rhyw ymadael â'r Jóseffwt yn raddol wnaeth o, gan dreulio ambell i gyfnod mewn Cartref ac Ysbyty. Rhyw fynd a dod oedd hi – ambell dro'n dianc ac ambell dro'n teimlo'n ddigon ffit i ailgychwyn ar ei drafals.

Erbyn hyn roedd o gryn dipyn dros oed yr addewid; cyrhaeddodd hwnnw ym 1964. Mae'n bur debyg mai tua diwedd 1970 neu ddechrau 1971, ac yntau tua 76 oed, y dechreuodd nogio go iawn. Roedd ei holl ffordd o fyw yn dechrau dweud arno, a'r corffyn bellach ddim cweit yn ddigon cryf i ddal grym y tonnau.

Yn Llangefni

Rywbryd yn nechrau blynyddoedd y saithdegau, cafodd John ei hun yn yr ysbyty yn Llangefni. Yn y ward lle 'roedd John, cedwid pob un o'r cleifion yn eu gwlâu yn barhaol. Roedden nhw'n wir yn wrthrychau cydymdeimlad a thosturi.

Beth? John yn tosturio? Dim peryg! Er bod John yntau mewn ffrâm ac wedi ei gaethiwo yn y gwely, roedd o ddigon yn ei synhwyrau, ac yn ddigon miniog ei dafod, pan ofynnodd rhyw hen begor bregus mewn gwely cyfagos pa ddiwrnod o'r wythnos oedd hi. Cafodd gydymdeimlad a thosturi oedd yn nodweddiadol o John Preis.

I be ddiawl uffar wyt ti isio gw'bod, dwad? Y? Ddoi di ddim o'r hen gaitsh 'na ddim tama'd cynt, y sglyfath gwirion.

Yn Y Fali

Tua mis Mehefin 1971, cafodd John ei hun am gyfnod mewn cartref henoed yn y Fali ym Môn. Clywodd rhai o'i hen gydnabod yng Nghapel Ucha ei fod yno, a phenderfynasant gael diwrnod i'r brenin a mynd i edrych amdano.

A dyna i chi beth oedd triawd! Nan Pritchard, Tan-y-clawdd, Mary Jones (Malan), Tan-y-bwlch, a John Griffith, Llanaelhaearn, oedd yn nai i Malan, fel yr oedd John Preis yn gefnder cyfan iddi. Ni fyddai John yn galw'n aml yn Nhan-y-bwlch, ac fe gyfeiriodd yn ddirmygus un tro at Malan, ei gyfnither, fel yr *Hapi Wandrar*.

Wedi cyrraedd y lle aeth y tri i chwilio am wely yr hen Breis. Yna fe'i gwelwyd. Bloeddiodd Nan dros y lle, *Uffar dân! Dacw fo'r diawl!* a chyda rhyw ddwy neu dair rheg arall, prysurodd ei chamau at wely John. Y tu ôl i Nan, yn lled betrus, ac yn lled guddiedig, ymddangosodd Malan, a phan welodd John hi, dechreuodd gystwyo Nan yn syth am ddod â Malan efo hi yno.

I be ddiawl w't ti isio dwad â'r hen sglyfath yma hefo chdi? Y?

Pa gyfiawnhad oedd yna dros y fath ddiffyg croeso, 'dwn i ddim. Roedd Malan wedi amau mai croeso 'llugoer' a gâi, ac wedi ei harfogi ei hun ag anrheg bach i wynebu cynddaredd John. Camodd ymlaen at erchwyn y gwely yn weddol hyderus i gyflwyno'n obeithiol botelaid o *Robinson's Orange Squash* iddo, a honno heb ei hagor ac yn syth oddi ar gownter siop Ralph ym Mhontllyfni (gŵr a fu farw, gyda llaw, rhyw bythefnos o flaen John ddiwedd Medi,1985). Byddai'r botel hon, siŵr o fod, yn anrheg gwerth chweil ac yn rhyngu bodd 'rhen John. Choelia i fawr!

Dos â'r sglyfath faw yn ôl. 'Sgin i mo'i isio fo.

Ym Mhwllheli

Erbyn diwedd y flwyddyn honno roedd John yng Nghartref yr Ala ym Mhwllheli, lle a fu, hyd ryw ugain mlynedd ynghynt, yn Wyrcws yr ardal. Bu yma am ryw flwyddyn gwta.

Roedd byw mewn cartrefi henoed ar y dechrau yn anodd iawn i John, wedi oes o annibyniaeth lwyr, annibyniaeth a olygai ei fod yn cysgu ble mynnai, yn cerdded pa ffordd bynnag y mynnai, yn cael peidio ymolchi na golchi ei ddillad – rhyddid absoliwt. Rŵan roedd yn gorfod plygu'n bur isel i gynefino â *regime* hollol, hollol wahanol.

Cysgu mewn gwely, a hwnnw'n lân, ac mewn un ystafell fawr gyda phobl eraill; defnyddio toiled efo pan a tsiaen a phapur pwrpasol; bwyta tri neu bedwar pryd o fwyd ar adegau penodol; cyd-fyw â phobl eraill a hynny yn yr un adeilad; ymarfer ufudd-dod a chwrteisi, iaith weddus ac arferion na ellid eu galw'n 'anghynnes'. Oedd, roedd gan John Preis fynydd o broblemau o'i flaen.

Ceir sôn amdano yn methu'n lân â chynefino â chysgu mewn gwely, ac yn mynnu cysgu ar lawr naill ai wrth ochr neu o dan y gwely. Cymerodd gryn amser iddo ei roi ei hun dan gyfnas a phlanced, heb sôn am dynnu amdano a gwisgo pyjamas. Mewn cwrteisi, a graslonrwydd, a dethol ei eiriau'n fwy gofalus, fu fawr o gynnydd gweladwy na chlywadwy yn hanes John druan, a pharhaodd i flagardio a rhegi a rhwygo. Hawdd iawn fyddai rhoi atebiad i gwestiwn oesol y proffwyd Jeremeia – *a newidia llewpard ei frychni?*

Aeth llawer i edrych amdano yn nyddiau'r gaethglud hon. Treuliodd gryn bymtheng mlynedd ola'i oes mewn ysbytai a chartrefi henoed, y rhan fwyaf o'r blynyddoedd hynny ym Mron-y-garth, Minffordd. Rydw i'n rhyw amau nad oedd neb wedi credu am eiliad y byddai John yn byw i fod dros ei 91 oed. Ond byw wnaeth o. Byw wnaeth ei dafod hefyd.

Ond roedd mor anniddig â ch'nonyn, yn gwbwl anfodlon ei fyd, fel anifail mewn sŵ neu aderyn mewn cawell. Dihangai'n gyson o Bwllheli a Minffordd yn ystod blynyddoedd cynta'i gaethiwed. Canmolai ei hun bob amser am ei gampau Houdinaidd, gan bwysleisio na allai na 'Phenrhyn na Ffaro', na Duw na diafol ei gadw mewn cadwynau. Nis cedwid byth gan hen lwyth Ffaro rhag y Jóseffwt a'r awyr las a'u rhyddid.

Ymwelwyr o'r hen fro

Un tro, aeth rhai o'i hen gydnabod o Gapel Ucha Clynnog i edrych amdano pan oedd yn y Cartref ym Mhwllheli, a'i gael yn gorwedd dan gyfnas yn ei wely a'i gap am ei ben. Crwydrodd dau ohonynt chwap at wely rhywun arall a adnabuasant, ond arhosodd y trydydd i gael sgwrs efo John. Sylwodd fod crysba's a 'sgidiau John ar lawr ger ei wely, ond 'doedd yna'r un golwg o'i drowsus yn unman.

Ble ma' dy drowsus di, John? gofynnodd.

Ma'r sglyfath amdana' 'sdi, ydi wir, yn barod i ddiflannu o'r hen sglyfath hen le 'ma bora 'fory.

Yn driw i'w broffwydoliaeth, mynd wnaeth o hefyd – dros dro!

Rhoi'r byd yn ei le

Ddiwedd Rhagfyr 1971 aeth yr un tri hen gyfaill i edrych amdano yn y Cartref ym Mhwllheli. Un ohonynt oedd Marian Elias Roberts, Hafod-y-wern, oedd – diolch byth! – â recordydd tâp yn ei meddiant. Recordiwyd yr holl sgwrs, ac mae'n werth cofnodi detholiad ohoni yma. Mae'r sgwrs, yn arbennig i'r sawl a adnabu'r cymeriadau, yn berl, ac yn dwyn atgofion am hen gymeriadau oedd â blas y pridd yn drwm ar eu hiaith a'u hymarweddiad. Y ddau arall oedd perthynas iddo, John Griffiths o Lanaelhaearn, cesyn ar y naw a ymdebygai i John yn ei eirfa, a'r rhyfeddol Nan Pritchard, Tan-y-clawdd, oedd, ar brydiau, fel y cofiwn, â'i hiaith yn gallu bod yn bur fras, yn frasach na hyd yn oed John Preis ei hun. Dyma ambell olygfa o'r ddrama, a'r geiriau air am air fel y'u recordiwyd ar y tâp gan Marian.

John G	(yn dod at erchwyn y gwely) *Be' ti'n 'neud?*
Preis	*Wel yno fo 'dw i.*
John G	*Yli pwy sy 'ma.*
Nan	*Helô, sud w't ti John?*
John G	*Pa bryd w't ti am 'i hen godi hi?*
Preis	*Wsnos ar ôl nesa.*
Nan	*Iesu, w't ti am 'i chodi hi John?*

Y dyn drws nesa'

Daeth rhyw sŵn rhyfedd o'r gwely drws nesa, rhyw siarad myngus annealladwy gan hen ŵr claf oedd yno oherwydd ei fod wedi cael strôc.

John G	Be ma' hwn yn 'i ddeud w'th d'ochor di dwad?
Preis	Diawl o ddim byd 'sdi.
John G	Ia, 'te. Di'r hen benfelan yma heno, dwad – ta 'di hi 'di heglu hi?
Preis	Ma hi 'di mynd i rwla.
John G	Sut o'dd hi dros y Dolig?
Preis	Do'dd hi da i ddim yn y sglyfath lle.
Nan	Ma'n hwyr i ti hen godi, John.
John G	Fasa'n well i ti yn Brysgyni'n ca'l powliad o botas efo'r hen hogia o lawar.
Preis	Fasa'n well gin i rwla na fama. Dydi fama'n da i ddim byd.
John G	Ma'n berig i ti fynd 'r un fath â nhw 'sdi.
Preis	Mi wn i'n iawn.
Nan	Ti'n edrach yn dda, John; ti fel hogyn.
Preis	Yndw.
Nan	Mi gei di flynyddo'dd eto.
John G	Cei siŵr. Mi estynith rhen ddydd 'ma rŵan 'sdi, ar un waith.
Preis	Gneith siŵr.
John G	Ma'r hen fwyalchan big felan wedi dechra canu.

Mae'r dyn yn y gwely drws nesa'n ceisio dweud rhywbeth.

John G	Be ma'r dyn 'ma'n berwi, dwad? Mae o'n trio deud rwbath.
Preis	Dydi'r hen ddiawl yn deud dim byd.

Holodd Nan ynghylch rhywun roeddan nhw'n ei nabod.

Preis	Duw, ma'r hen sglyfath hwnnw 'di mynd i rwla.
John G	Dyna lle ma' hi'n dda arnat ti, rwyt ti'n medru cerddad ac yn gweld, 'dwyt? Mi fyddi di wedi i hen 'sgubo hi drw'r hen giât 'na fel milgi, yn byddi?
Preis	Bydda. 'R un fath yn union. Wna i'm aros yn fama i boetsio, 'te.
Nan	Welis i Robat Parry Brysgyni ddoe, John.
Preis	Yn lle, dwad?
Nan	Hyd y lôn na 'sdi'n torri mieri.
Preis	O.
Marian	Ro'dd o'n cofio atoch chi. 'Da chi isio rwbath i fyta, John?

Mae Marian yn estyn cacennau mewn papur iddo.

Preis	Na. 'Dw i ddim isio'r hen dacla' ddiawl yna.
Nan	Be gest ti Dolig 'ma, John?
Preis	Be ti'n cyboli ddiawl ynghylch yr hen ddiawl sglyfath hwnnw. 'Di'r hen beth hwnnw ddim gwerth poetsio yn 'i gylch, peth 'r un fath ag o.
John G	(gan gyfeirio at y claf drws nesa) Yli hwn yn trio dwad o'r hen gaitsh 'ma. Lle rw't ti am gadw'r cacenna 'ma? Mi rho i nhw yn yr hen ddrôr 'ma, yli.
Preis	Duw, dyro'r hen sglyfaethod yn rwla – hen betha fel'na.
Nan	Ti'n smocio cetyn rŵan, John?
Preis	Na fydda.
Marian	Pa bryd buoch chi allan ddwytha?
Preis	Duw, dwi'm 'di bod am sbel.
Nan	O, dw't ti ddim yn mynd allan rŵan?
Preis	Does 'na ddiawl o ddim byd yn yr hen sglyfath hen le 'ma.
Nan	Ti'n ffraeo hefo'r hen nyrsus 'ma, John?
Preis	Fydda i ddim yma wsnos ar ôl nesa 'sdi.
Marian	'Da chi'n ca'l mynd 'radag hynny?
Preis	Iesu, mi fydda i'n mynd. Dydw i ddim yn mynd i'r gornal yma efo'r hen betha yma.
Nan	Ti'n cysgu'n nos yma, John?
John G	Nacdi. Fedar o ddim cysgu yma.
Preis	Fedra i ddim cysgu yn y sglyfath diawl.

"Gweryru"

Mae'r hen ŵr claf yn y gwely drws nesa'n dechrau ystwyrian eto ac yn ceisio dweud rhywbeth. Mae gan Nan agwedd gwbwl annystyriol tuag ato.

Nan	Clyw, John, myn diawl, hwn yn gweryru uffar eto.
Preis	Cythral o ddim byd, 'te.
Nan	Duw, mae 'ma le digri 'ma, John. Rhaid i ti ddwad o'ma, myn diawl.
Preis	Rhaid i mi ddwad o'r sglyfath lle.
John G	Fydd o fel hyn yn y nos, John?

Preis	'Dwn i'm. Na, mi fydd yr hen ddiawl yn sdopio ryw dro 'sdi.
Nan	Pa bryd est ti i'r bync heno, John?
Preis	Newydd ddwad o'n i 'sdi.

Daw cynnwrf pellach o'r gwely drws nesa. Mae Nan yn gweld y cyfan, ond ymddengys bod John yn gallach!

Nan	Arglwydd. Mi fu bron iddo fo syrthio, myn diawl.
Preis	Paid â poetsio ddiawl o hyd efo'r un peth, 'di'r hen ddiawl ddim gwerth i ruo ddiawl yn ei gylch o.
Nan	Gest ti dyrci, John?
Preis	'Di'r hen ddiawl hwnnw ddim gwerth sôn amdano.
Marian	Be 'di'r bwyd gora gynnoch chi?
Preis	Rhyw de a ballu 'sdi.
John G	Tatws trwy'u crwyn hefyd 'te.
Preis	Chei di ddim tatws trwy'u crwyn yn unlla.
John G	Ddaru nhw ferwi hen betha fel sgwigod i ti'n do?
Preis	'Doeddan nhw ddim gwerth, yr hen sglyfaethod.
John G	Ma' pawb yn gofyn amdanat ti ym mhob man – wedi dy golli di.
Preis	'Dwi'n gwbod yn iawn.
Nan	Wyddost ti, roedd 'na ddynas o Fachynllath yn Tan-clawdd heno. Ro'dd honno'n gwbod amdanat ti, cofia.
Preis	Goelia i di. 'Di'r hen le 'ma'n da i ddim byd ond i dy lwgu di 'sdi. Nacdi. Efo rhyw hen dacla diawl.
John G	A rw't ti 'di bod yn yr hen Fali hwnnw, hen gythral o le.
Preis	Paid â sôn ynghylch yr hen sglyfath diawl.

Mae Nan rŵan yn sôn am Malan, cyfnither John sy'n byw yn Nhan-y-bwlch, Capel Ucha.

Nan	W't ti am fynd i edrach am Mal, John?
Preis	Nacdw'i ddim am fynd at yr hen ddiawl. I be a i i'r hen gythral hen le hwnnw?
Nan	'Sna'm byd i ga'l yn fan'na.
Preis	Diawl o ddim byd.
Nan	Ew, ma' hi'n bigog rŵan, John.
Marian	Mo ddoth 'na jac-do i mewn trw'r simdda'n y nos.

Preis	Be' wn i am ryw sglyfath diawl.
John G	'Does 'na neb hyd yr hen Bwllheli 'ma nagoes?
Preis	Fuo 'na neb yn yr hen ddiawl hen le 'ma 'rioed.
John G	Naddo. Dim ond lle i fynd drwyddo fo, ynte?
Preis	Iesu, 'does 'na ddim byd yn yr hen sglyfath.
Marian	Capal Ucha 'di'r gora, ynte?
Preis	Wel Iesu, mae o'n well na'r hen ddiawl yma. 'Di'r hen le 'ma'n da i gythral o ddim byd.

Mae'r claf yn y gwely drws nesa'n ceisio dweud rhywbeth.

Nan	Clyw hwn yn berwela ddiawl eto!
John G	Ma'r rhain o dy gwmpas di.
Preis	Paid â rhuo ynghylch y sglyfaethod diawl.

Mae'r nyrsus gerllaw yn sgwrsio â'i gilydd.

Nan	Ma'r hen genod 'ma'n rhuo eto, John. Dos i'r afa'l â nhw, John. Tynna nhw i'r gwely 'na. Ti'n licio'r benfelan 'na, John?
Preis	Be ddiawl ... be ti isio lolian am ryw hen dacla diawl. Yr hogan wirion.
John G	Mi fydd hi'n ddechra blwyddyn eto wsnos nesa.
Preis	Be w't ti'n rhuo ddiawl? Dim ond 'r un fath yn union fydd hi.

Ceisia'r claf drws nesa gael eu sylw.

Nan	Clyw hwn yn rhuo ac yn malu cachu, John ...

Mae'r dyn yn dal i geisio dweud rhywbeth.

John G	Isio diod ne' rwbath mae o, dwad?
Preis	Duw, do's ar yr hen ddiawl ddim isio dim byd. Dim ond gneud ryw hen dwrw diawl mae o.

Mae'r dyn yn ymdrechu i siarad unwaith eto.

Nan	Iesu Grist, John, rhaid i ti ddwad o'ma fory myn diawl i rwla.
Preis	Arglwydd, taw a'r un peth o hyd, chdi a'r hen ddiawl gwirion yna. Dwyt ti ddim haws â sbio ar yr hen ddiawl gwirion yna.

Mae'r dyn yn dal i siarad.

John G	Ella bod o isio rwbath.

Preis	Nagoes. Does ar yr hen ddiawl ddim isio dim byd.
Marian	Ew, mae'n boeth yma.
Nan	Rhaid i ni hel i fynd o'ma 'fyd.
Preis	Ia, gora po gynta. Be ddiawl 'newch chi'n fama?
Nan	Berig ar y diawl iddyn nhw'n cadw ni yma!
Preis	Be ddiawl 'newch chi lolian yn fama?
Marian	I heglu hi o'ma 'di'r gora inni.
Y tri	Nos dawch, John.

Ymweliad arall

Rhyw bedwar mis yn ddiweddarach aeth yr un tri i weld John yn y Cartref ym Mhwllheli ac fe recordiodd Marian y sgwrs hon hefyd. Ond fel y d'wedodd Nan Tan-clawdd wrth fynd allan o'r lle, doedd 'na fawr o flewyn ar John y noson honno, ac roedd hi'n bur anodd tynnu sgwrs ag ef. Dyma ran fechan tuag at derfyn yr ymweliad, pan sonnir am weld John yn ôl ar ei drafals, ac yn arbennig yn ei hen gynefin.

John G	Mi fydd 'na fflagia allan yn Capal Ucha pan ei di yno.
Preis	Paid â poetsio, bendith yr Arglwydd.
Nan	Iesu, mae'n amsar i ti godi bellach, John, myn diawl, o'r lle 'ma.
John G	Rwyt ti wedi aros drw'r gaea yma'n ddistaw, yn do?
Preis	Ma'r hen ddiawl hwnnw 'di mynd.
John G	Yndi, ma' hwnnw 'di darfod. Mi fydd rhen Fytlins Camp na'n agor rŵan eto, yn bydd?
Preis	Be wn i am yr hen sglyfath?
John G	Ma' pawb isio dy weld ti rŵan yr ha 'ma.
Preis	Oes. Goelia i di.
John G	Argian fawr, mi fydd gin ti waith mynd drwyddyn nhw i gyd, yn bydd?
Preis	Na fydd yn 'r Arglwydd. Lle bydd gin i?
John G	Mi ei di, 'sdi, trwyddyn nhw i gyd. Mi fydd gin ti waith mynd i edrach am bawb, 'bydd? 'Blaw, os cei di dy hun i Goedtyno, mi fyddi di'n iawn.
Preis	Mi fydda i'n iawn wedyn. Mi fydda i'n iawn wedyn,'sdi.

Pan drowyd y sgwrs i sôn am Gapel Ucha Clynnog, ac am Robert Lewis, Coedtyno, fe siriolodd 'rhen John.

John G	Allan i'r awyr agorad, 'te. I fyny Allt Mur Sant.
Preis	Ew ia. Mi faswn i allan 'radag yma.
Nan	Mi fasat ti ar barêd yn rwla.
Preis	Paid â phoetsian ynghylch y diawl peth.
John G	Ella daw Robat Lewis heibio i chdi cyn Sul 'ma, sdi.
Preis	W't ti'n meddwl daw o?
John G	Diawch, 'chydig iawn fydda i'n weld arno fo, 'sdi.
Nan	'Di o ddim yn gweithio rŵan efo'i 'senna.

Roedd Robert Lewis, ar y pryd, wedi torri ei asennau.

John G	O ia, ella nad ydi o ddim yn codi allan ryw lawar.
Nan	Musus Lewis oedd efo'r car neithiwr.
John G	Yr unig beth fedra i ddeud wrthat ti ydi, brysia yno i edrach amdano fo. Dyna 'di'r gora i ti.
Preis	Ia.
John G	Tasa ti isio mynd efo Moto Coch mi gaet fynd medda'r hen hogia 'na wrtha i.
Preis	I fyny'r hen allt 'na?
John G	Ia. Mi fydd yn braf iawn iti fynd.
Preis	Mi a' i cyn pen wsnos, 'sdi.

Bron-y-garth

A fu John, wedi hynny, yng Nghoedtyno, 'dwn i ddim. O fewn ychydig wythnosau i'r sgwrs uchod roedd wedi ei symud i Ysbyty Bron-y-garth ym Minffordd, ger Penrhyndeudraeth. Yn y fan honno y bu wedyn, am gyfnod pur faith o rhyw dair blynedd ar ddeg, sef gweddill ei oes.

Agorwyd Bron-y-garth, sydd ar ochr y ffordd fawr ym Minffordd ger Penrhyndeudraeth, ym 1842, a hynny fel Tloty'r Undeb (*Union Workhouse*), dan Undeb Ffestiniog. Cynlluniwyd y lle ar gyfer 'cartrefu' dau gant o dlodion. Hwn yw'r tloty a ddefnyddiwyd yn gefndir i nofel sy'n adrodd hanes bachgen a aeth rhagddo pan yn ddyn i ddarganfod aur yn y Clondeic – ie, yn British Columbia! – a dod yn gyfoethog. Fo oedd etifedd ystâd fawr yn yr ardal er na wyddai neb hynny yn ystod ei blentyndod. Hwn oedd arwr y nofel antur enwog i blant, *Capten*, gan R.Lloyd Jones, a fagwyd gerllaw ac a fu'n brifathro ysgol Trefor o 1913 hyd 1928. Fo, yn anad neb, oedd arloeswr pennaf y nofel antur Gymraeg.

O gwmpas y lle ceid wal wyth troedfedd o uchder a wnâi'r Wyrcws, am flynyddoedd maith, nid yn gartref ond yn debycach i garchar. Felly'n union hefyd undonedd a chaledwch y bwyd a'r gwaith a'r ddisgyblaeth. Dyna'r rheswm pam yr enwais innau lyfr a gyhoeddais ym 1992 ar hanes wyrcws Pwllheli yn *'Carchar, nid Cartref'*. Ym Minffordd cafwyd ymdrech gynnar i ladd y ddelwedd angharedig o wyrcws a chuddio gwir erwinder y lle trwy roi enw 'cartrefol' arno – Llys Ednyfed. Yn wir, bu un ward, Ward Ednyfed, yno hyd ddiwedd y lle yn 2008.

Mae'n ddiddorol sylwi fod adeilad arbennig wedi ei godi yno ym 1888, a'i draul yn £985, ar gyfer crwydriaid – *'Vagrant or Tramp Ward'*, gydag ystafell arbennig ar gyfer cael gwared â llau a chwain, ystafell ymolchi, cegin, ystafell fwyta gymunedol a 'chelloedd' i gysgu ynddynt. Rhannwyd pob cell yn ddwy ran, y naill i gysgu ynddi a'r llall ar gyfer gweithio. Roedd i'r lle gweithio glo ar y tu allan i'r ffenest. Torri metlin oedd prif waith y crwydriad a arhosai yno ac roedd hi'n ofynnol torri hyn a hyn cyn y gallai'r crwydryn ymadael â'r lle. Hwn oedd y tâl am lety.

Daeth y lle i ben fel Wyrcws ym 1948, a newidiwyd ei enw i Bron-y-garth.

Daeth yn gartref, dan ofal y Cyngor, ar gyfer yr henoed a cheid yno 68 o breswylwyr yn y 1980'au cynnar. Mewn gwirionedd, roedd bellach yn ysbyty cymunedol yn rhoi cartref i gleifion hirdymor, nifer ohonynt yn treulio gweddill eu hoes yn y lle. Un o'r rhain, wrth gwrs, oedd John Preis, a oedd yn un o'r rhai fu yno hwyaf – 13 blynedd, o 1972 hyd 1985. Yn yr adran geriatrig y bu John a daeth yno fel rhywun digartref. Yn Chwefror 1990 daeth Bron-y-garth yn adeilad rhestredig (Gradd 2) swyddogol.

Bu Eirian Evans yn nyrs ym Mron-y-garth am gyfnod, ac roedd John Preis yn byw yno ar y pryd. Mae ganddi rai atgofion sy'n nodweddiadol o unrhyw atgofion amdano.

Digyfnewid

Ty'd â rhywfaint o'r blydi llefrith 'na i mi, ac wedi ei yfed yn swnllyd, taflu'r cwpan ar lawr. Dyn hollol anniolchgar ac anodd ei drin. Malodd nifer fawr o lestri yno dros y blynyddoedd, a gallai fod yn fater peryglus ei groesi a'i geryddu – rhag ofn i chi gael bonclust!

Byddai John yn rhoi ei bump yn loceri cleifion eraill ac yn 'cymeryd' baco, baco cetyn yn bennaf. Mae hanesion amdano hefyd – rhyw ddiawledigrwydd John Preisaidd – yn rhoi waledi cleifion yn y sgip. A phan fu farw John, rhoddwyd ei getyn ym mhoced ei byjamas, yn ogystal â rhoi ei gap am ei ben.

Roedd marwolaeth John yn arwyddocaol yn hanes crwydriaid o'i fath o; yn ôl un papur Saesneg *marked the loss of an unique Welsh rural character, possibly the last of the country's old fashioned tramps*. Ond i ni, siŵr iawn, roedd colli John Preis yn llawer, llawer mwy na cholli *old fashioned tramp*.

Fferins

Daeth rhai o ardalwyr Capel Ucha i'w weld yn fuan wedi iddo setlo ym Mron-y-garth. Nid oedd John wedi bod yn rhy dda ers tua tair wythnos, ond erbyn hyn ar y ffordd i wella. Gofynnwyd iddo beth yr hoffai ei gael i'w fwyta pan ddeuent yno'r tro nesaf.

Fferins.

Sut fferins?

Hen betha' meddal, 'sdi.

Dyna oedd ffordd John o ddweud mai jiw-jiws y dymunai eu cael. Ar yr un gwynt megis, fe anghofiodd am y jiw-jiws a dechrau collfarnu ei gydbreswylwyr yn hallt.

Drycha ar yr uffernols! Dydi'r hen dacla diawl 'ma'n gneud diawl o ddim drw'r dydd ond ista ar 'i tina a gorfadd yn 'i gwlâu yn sbïo ar 'i gilydd, 'sdi.

Gan ychwanegu, fel bob amser. *'Dwi'n dwad o'ma fory, 'sdi.*

Y swerin eglw's

Roedd camymddwyn a bod yn anystyriol ac anghwrtais yn rhan o fywyd beunyddiol John ym Mron-y-garth, yn union fel yn yr hen ddyddiau ar y lôn. Ni chollodd y llewpard ei frychni.

Byddai'n ddifrïol iawn o ymwelwyr, yn arbennig gweinidogion – y *swerin eglw's* fel y'u galwai – ac yn ceisio'u bychanu, a hynny'n gyhoeddus. Bu rhyw orchest felly'n perthyn iddo erioed.

Pnawn da, gyfaill. Su'dach chi heddiw 'ma? gofynnodd rhyw weinidog clên oedd yn ymwelydd pur gyson yno. Gwrthododd John ddweud yr un gair, dim ond edrych yn guchiog a digon sarhaus ar y gweinidog druan. Teimlodd hwnnw'r oerni'n syth a phenderfynodd nad lle i fagu gwaed oedd wrth droed gwely John Preis.

Bendith arnoch chi, meddai, *mi'ch gwela i chi eto.*

Dim uffar o beryg, taranodd John. *Weli di mo'na i yn y sglyfath baw lle 'ma byth eto. 'Dwi'n mynd o'ma fory, dallta!*

Un tro roedd rhywun o Glynnog wedi mynd i weld John ac yn eistedd wrth erchwyn ei wely'n sgwrsio ag o. Pwy basiodd ond un o weinidogion yr ardal, gŵr cymwynasgar a charedig, ac meddai John, yn gwbl ddigymell:

Yli'r diawl yna'n mynd hyd y lle 'ma hefo'i 'Helo, sud'ach chi' a'i 'Ta-ta rŵan' uffar. Be ma' rhyw hen gachu o beth fel'na da i ddiawl o neb?

Dyna beth oedd gwerthfawrogiad John Preis o garedigrwydd pobol dirion. Mae'n dda, mewn gwirionedd, bod y rhan fwyaf o'r gweinidogion yn ei adnabod, yn ei ddeall, ac wedi dysgu anwybyddu ei gasinebau.

Dannedd gosod

Fel hyn yr edrydd Edwin Ellis hanes ei gyfaill Norman yn mynd i edrych am John ym Mron-y-garth.

Aeth Norman i Finffordd, ac i Fron-y-garth, a chael y Metron ei hun yn ateb y drws. Roedd golwg pur guchiog arni.

Be' 'dach chi isio? gofynnodd yn biwis.

Oes posib i mi gael gweld yr hen John Preis, os gwelwch yn dda? gofynnodd Norman yn fwyn a chwrtais, gan ofalu peidio ateb tempar â thempar.

Hý! meddai gan droi ei phen draw.

Be' sy'n pigo hon heddiw, 'sgwn i? meddyliodd Norman. *Mae 'na rhyw ddrwg yn y caws yn rwla. Mi fetia i mai John Preis ydi'r drwg hwnnw.*

Glaniodd wrth wely Preis a gofyn iddo ar ei ben beth oedd ei drosedd y tro hwn. Chwarddodd John, a chafodd Norman – rhwng y rhegfeydd a'r blagardio a'r chwerthin – y stori ryfeddol am gamwedd John Preis.

Yr adeg honno roedd y gwlâu wedi eu gosod yn y fath fodd fel eu bod yn rhesi taclus efo'i gilydd, a chwpwrdd bach del wrth ochr pob gwely. Wrth noswylio, byddai pawb yn tynnu'u dannedd gosod ac yn eu rhoi mewn gwydryn, pob un ar wyneb ei gwpwrdd bach ei hun. A hon oedd trosedd ddiweddaraf John, trosedd a darddai o ddiawledigrwydd cynhenid y cnaf a dim byd arall. Cododd o'i wely gefn nos, casglu'r holl ddannedd gosod a'u rhoi, bob un ohonynt, mewn pwced. Y Metron druan gafodd y gwaith diddiolch – a digon anghynnes – o orfod didoli'r llu danheddog fore trannoeth er mawr ddifyrrwch i'r hen fadyn cringoch.

Hwyliau drwg

Wedi iddi glywed cymaint o straeon difyr a doniol am y dyn, aeth chwilfrydedd Nefina Parri, gwraig meddyg John Preis ym Mhenrhyndeudraeth, yn drech na hi, a phiciodd draw i Fron-y-garth i'w weld un prynhawn. Aed â hi'n ddiymdroi at droed gwely'r seléb, a'i chyflwyno'n barchus ddigon iddo.

John, mae 'na rywun wedi dwad i dy weld di.

Ciledrychodd John oddi dan y dillad gwely a 'chyfarch' yr ymwelydd caredig.

Hwff, meddai, troi ei ben a chladdu'i hun yn y gwely.

Dim cystal hwyliau, felly dim math o groeso.

'Slumod

Yn y flwyddyn 2008 caewyd Ysbyty Bron-y-garth a gwnaed arolwg manwl o'r adeiladau bryd hynny. Darllenais yr adroddiad hwnnw ac mae'n rhyfedd gweld cyfeiriad ynddo at yr *Old Tramp Ward*, a bod y ward honno bellach yn gartref i dros bedwar cant o 'slumod pedol lleiaf (*Rhinolophus hipposideros*) sy'n rhywogaeth warchodedig. Mae'n rhyfedd meddwl bod y ward arbennig hon, fu'n gartref i ugeiniau o grwydriaid, oedd eu hunain wedi cyd-gysgu ag ystlumod mewn hen adeiladau ledled Cymru, bellach yn gartref i'r 'slumod yn unig. Diflannodd y rhywogaeth bwysicaf, y ddynol, ac amddiffynnwyd y llall, sef yr ystlum.

Gofal

Mae'n wir dweud i John gael y gofal tyneraf a'r caredigrwydd mwyaf yn ystod yr holl flynyddoedd y bu'n preswylio ym Mron-y-garth. Ble bynnag y byddai John Preis, boed ysgubor neu ysbyty, beudy neu blasdy, rhaid oedd cwyno. Byddai ei anniolchgarwch gorchestol a'i ddihidrwydd yn llwyr ddiystyru a dirmygu gwir garedigrwydd pobl tuag ato. I'r diwedd un cafodd gysuron gwiw a gofal tyner. Rhaid cofnodi hynny, er gwaethaf llawer iawn o honiadau celwyddog a wnaeth ef ei hun dros y blynyddoedd. Roedd o'n un o'r bobl hynny oedd â rhyw fath o drwydded a rhyddid i ddwedyd a fynno, a chael maddeuant bron bob tro.

Ffair Cricieth

Y tro olaf i John fynd allan o Fron-y-garth oedd ym Mehefin 1985, cwta bedwar mis cyn ei farw. Aethpwyd ag ef ar daith fythgofiadwy i Ffair

Ŵyl Ifan yng Nghricieth, a hynny "mewn coets gadair, a chafodd amser wrth ei fodd yn cyfarfod â hen ffrindiau". Roedd pawb mor falch o'i weld.

Diwedd y daith

Bu farw John yn dawel yn Ysbyty Bron-y-garth ar y 15fed o Hydref 1985 yn 91 mlwydd oed. Roedd i'w gladdu ym meddrod ei rieni, a'i chwaer, Jane (15 oed), ym mynwent Capel Ucha Clynnog. Cymerodd Richard Williams, Afallon, a Huw John Jones, Pantafon, ofal o'r cynhebrwng a'r claddu.

Cafwyd gwasanaeth ym Mron-y-garth dan ofal caplan y lle, y Parchedig Emlyn Williams, Blaenau Ffestiniog, "ffrind arall i John Preis", gyda staff yr ysbyty yn cario'r arch.

Yn naear ei fro

Yna aethpwyd â'r corff i Gapel Ucha, gyda phedwar o'r fro honno'n ei gario – Harry Parry, Maesog, Glyn Hughes, Tan'rallt, Gwyndaf Lewis, Coedtyno a Ben Jones, 21 Llwyn y Ne'. Cynrychiolwyd y capel gan ddau flaenor yno, David Pritchard, 4 Tai'n Lôn, a Gwyndaf Lewis, Coedtyno, gyda David Wyn Owen, Garn Fawr yng ngofal y canu.

Yn ystod y gwasanaeth soniwyd am John fel canwr, rhywbeth nad oedd y mwyafrif oedd yno'n ymwybodol ohono. Dywedir yn yr *Herald Cymraeg* mai *"tystiolaeth pawb a'i clywsai yn canu oedd bod ei lais tenoraidd yn wefreiddiol. Aeth rhyw ias ryfedd drwy lawer o deithwyr ar y Motor Coch wrth wrando ar John yn canu emyn"*. Daearwyd John Preis yng Nghapel Ucha gyda'r gwasanaeth angladdol yng ngofal y Parchedig William Jones, Bwlan, Llandwrog.

Yn yr *Herald Cymraeg* yn Ionawr 2003, dros ddwy flynedd ar bymtheg wedi claddu John Preis, gallai Emyr Williams y gohebydd gofio anerchiad Y Parchedig William Jones yn y cynhebrwng. Nis gwn ai oddi ar ei gof ynteu oddi wrth nodiadau a gadwodd y rhoddodd rai o eiriau'r gweinidog yn ei erthygl. Maent yn eiriau trawiadol:

Rydych i gyd wedi maddau i John, neu ni fuasech chi yma heddiw. Gŵr unig oedd John Price. Roedd yn gymeriad ac yn cael ei barchu. Roedd pethau diddorol yn perthyn iddo, a gwyddai llawer am ei onestrwydd. Nyrsus yn y C&A yn rhoi bath iddo, ac yn trin y briwiau ar ei draed. A chlywais am nyrs yn dweud – "Cofiwch fod gan John Price enaid". Cofiwch y geiriau yna. Nid oedd dim rhagrith yn perthyn iddo. Roedd yn naturiol, a'r cyfan ar yr wyneb. Cafodd barch mawr yn ei flynyddoedd olaf ym Mron-y-garth. Diolch am dosturi pobl. Heddwch i'w lwch dan ddaear ei fro.

Carreg Tyddynygarreg

Tynnwyd y garreg oddi ar feddrod y teulu ac aeth Roy Williams, oedd â'i weithdy yng Nghricieth, â hi i dorri enw John arni cyn ei hailosod rai misoedd yn ddiweddarach. Roedd Roy (Robert Henry) yn fab i hen gyfaill a chymwynaswr mawr John, Dic Moto Coch, ac yn saer maen adnabyddus iawn.

Carreg hardd gydag addurniadau cain arni yw carreg Preisiaid Tyddynygarreg a bu'n pwyso â'i chefn ar fur y gweithdy yng Nghricieth am rai wythnosau yn dilyn angladd John, er rhoi cyfle i'r bedd suddo a sadio. Wrth ei hochr yn y gweithdy roedd carreg arall, carreg ddigon cyffredin yr olwg oedd ar ei ffordd i fynwent Llanfihangel y Traethau, carreg gŵr 'pwysig' (yng ngolwg y byd), William David Ormsby Gore, *5th Baron Harlech PC KCMG*, Glyn Cywarch (1918-85), a fu farw'n 67 oed mewn damwain car. Ie, neb llai na'r Arglwydd Harlech. Cafwyd llun trawiadol iawn yn *Y Ffynnon*, papur bro Eifionydd, o'r ddwy garreg, yn sefyll ochr yn ochr. Yr hyn oedd yn arwyddocaol mewn llun o'r fath, mae'n debyg, oedd gweld gwireddu'r hen ddihareb honno – *bedd a wna bawb yn gydradd*. Efallai i rai gofio pennill dwys William Oerddwr:

> Os oes gennyt aur am foment
> A thaleithau mawr o dir,
> Yn nistawrwydd pur y fynwent
> Bydd dy gongl cyn bo hir.

>   Os dirmygaist wrth fynd heibio
>   Aml i gardotyn gwan,
>   Llaw marwolaeth ddaw i'ch crino
>   Yn gyfartal yn y man.

I'r hen Fritish Columbia

Yng Nghofiant yr enwog John Jones, Tal-y-sarn mae'r Doctor Owen Thomas yn dweud hanes un o'r angladdau hynotaf fu yng Nghlynnog, yn wir yng Nghymru erioed, sef angladd Robert Roberts, gweinidog tanllyd Capel Ucha yn oes y diwygiadau mawrion, un o'r pregethwyr mwyaf a welodd ein cenedl ac a adwaenid fel 'Y Seraff o Glynnog'. Y flwyddyn oedd 1802. Yn gorfforol, roedd Robert er yn ifanc yn wahanol iawn i bawb arall, wedi camu'n ddrwg gan effeithiau'r parlys, a'i gorff yn grwca i gyd. Dywedid bod golwg *ofnadwy* a *thruenus* arno, a bu farw'n ddeugain oed.

Yn ystod y gwasanaeth ar lan ei fedd, digwyddodd rhywbeth anarferol a rhyfedd. Fe safodd ei frawd, yr enwog John Roberts, Llangwm, ar bridd moel erchwyn y bedd, a dyrchafu ei lygaid a'i lef tuag at yr Anweledig. Cynhyrfwyd y dorf fawr gan dreiddgarwch digymar y llais a gwewyr y geiriau. Bloeddiodd yn ei ddagrau, dan ryw argyhoeddiad angerddol:

> *O Robin! Robin annwyl! O fy mrawd annwyl! O angel Duw i drigolion Cymru! Ydyn nhw'n dy roi di yn y bedd? Ond ni waeth i chi heb roi pridd arno. Fe ddaw i fyny yn wir! Fe ddaw i fyny yn wir! Y mae ei gorff o fewn y cyfamod. Ac O! fe fydd gwedd ogoneddus arno y diwrnod hwnnw! Bydd wedi colli y cemni i gyd; a digon o nerth ynddo i ddal tragwyddoldeb o wasanaeth heb flino byth.*

Wrth ddwyn i gof y geiriau rhyfeddol yna, ni allaf yn fy myw beidio â chyffelybu'r digwyddiad a'r datganiad i achos un arall o feibion Capel Ucha ymron i ddwy ganrif yn ddiweddarach, gŵr hollol wahanol ym mhob ffordd bron, ond eto â nodweddion diffygiol amlwg yn perthyn iddo, nid cymaint yn gorfforol, ond yn hytrach mewn buchedd, glendid ac iaith.

'Sgwn i a ddiflannodd y *cemni* i gyd oddi ar war yr un *a gurwyd mewn tymhestloedd*. A ddiflannodd iaith flêr ac ymddygiad annheilwng o galon yr hen wariar garw, a'r bustl a'r drewdod diniwed a gariai o ganlyniad i'w ffordd o fyw unigryw? Do, siŵr o fod, a gallaf yn hawdd dybio iddo hwylio'i long – *rhyw hen sglyfath o long 'sdi 'te* – dros y weilgi fawr i mewn yn ddiogel i un o borthladdoedd yr *hen Fritish Columbia*, y wlad wrth droed yr enfys.

Mor hawdd yw dychmygu ei weld, yn syth 'r ôl cyrraedd, yn cymryd y goes ar y Jóseffwt fawr a'i drwyn am y gogledd, am y Clondeic â'i aur coeth laweroedd. Gallaf ei weld yn martsio'n dalog â *gwedd ogoneddus arno*, ac yn cerdded â *digon o nerth ynddo*, a phwy a ŵyr na ddaw rhyw hen bedair olwyn fawr heibio, yn sgleinio'n ddifrycheulyd, neu lorri gynnes y Ffatri Laeth, neu Ddybl-decar Mawr Coch. 'Does dim golwg yn unman o'r un tocyn baw, na Thwll Mawr Merswy, na wâr na chrwyn gwarthaig na Ching Jorj na llau na mynci-babŵn. Dim byd ond awyr las ddigwmwl holl ffordd y mil milltiroedd i lân eangderau'r Clondeic â'u henfys dragwyddol, a chael yno, achan, wedi'r holl dreialon, wythïen ddihysbydd o aur yn ei ddisgwyl. Ac yno mae'r oll o'i hen ffrindia. A Rhisiart ei frawd. A llwyth Ffaro'r ucheldir.

Fel'na ma' hi'n yr hen Fritish Columbia, achan. Ia wir, fel'na ma' hi, 'sdi. 'Dwi'n nabod llawar yn fama, llawar iawn – hen ffrindia annw'l, bob un.

TANYSGRIFWYR

Carys Aaron, Llandwrog

Wil Aaron, Llandwrog

Miriam a Siôn Amlyn, Trefor

Mari a Rhys ap Rhisiart, Bryncir

Dilys Arnold, Beddgelert

Enid W. ac Ifor Baines, Pen-y-groes

Eurwyn a Beryl Baum, Trefor

Carys Jones Bird, Pen-y-groes

Dafydd J. Bowen, Llanilar

Arthur a Meinir Boyns, Maentwrog

Devida Owen Broadbent, Lerpwl

Simon Brooks, Borth-y-gest

Lois a Llŷr Bryn, Trefor

Cefnogwr, Caernarfon

Carys Mai Chamberlain, Penrhyndeudraeth

Margaret Costello, Y Fali

Cyfaill Canolfan Hanes Uwchgwyrfai

Eirlys ac Emlyn Cullen, Trefor

Alwen Davies, Pencaenewydd

Betty Rice Davies, Clynnog Fawr

David E. Davies, Penrhyndeudraeth

Miriam Davies, Clynnog Fawr

Nel Davies, Llanystumdwy

Olwen Davies, Pencaenewydd

Rhian a Llysfoel Davies, Llangybi

Wil a Lis Lloyd Davies, Caernarfon

Mair a Roderick Downes, Trefor

Dewi a Margaret Edwards, Caernarfon

Sulwen ac W. W. Edwards, Chwilog

Ann Efans, Pwllheli

Angharad Elias, Pontrhydfendigaid

Margiad Elias, Cricieth

Twm a Delyth Elias, Nebo

Aled a Helen Ellis, Minffordd

Edwin M. Ellis, Pen-sarn

Helen Williams Ellis, Pencaenewydd

Margaret W. Ellis, Trefor

Valerie Ellis, Bangor

Valmai a Tudor Ellis, Y Groeslon

Arfon a Joyce Evans, Pen-y-groes

Dyfed a Doris Evans, Pencaenewydd

E. Joyce Evans, Beddgelert

Eirian Evans, Harlech

Elisabeth Evans, Ynys, Cricieth

Geraint Evans, Rhosgadfan

Gwenda Evans, Pen-y-groes

Gwenfair Evans, Trefor

Gwilym a Bethan Evans, Llanberis

Heulwen a Robin Evans, Caernarfon

Jean Evans, Chwilog

Margaret a Huw Evans, Clynnog Fawr (2 gyfrol)

Margaret a Sam Evans, Aberdesach

Mary Evans, Penrhyndeudraeth

Siân ac Eilir Evans, Pontllyfni

W. Brian L. Evans, Penrhyn-coch

William Evans, Aberdaron

Gareth a Marian Francis, Pen-y-groes

Peredur a Helen Francis, Caer

Gwenda ac Edward Griffith, Cwmystradllyn

Katie Griffith, Pencaenewydd

Manon Ff. Griffith, Llwyndyrys

Megan Griffith, Llangwnadl

Nerys Griffith, Pencaenewydd

R. J. Griffith, Rhosgadfan
Beryl Griffiths, Trefor
Dawi Griffiths, Trefor
Ellen Ann Griffiths, Y Ffôr
Annie M. Gruffydd, Bontnewydd
Mari Gwilym, Caernarfon
Bethan Gwyn, Tre-garth
Robin Gwyndaf, Caerdydd
Jina Gwyrfai, Trefor

Anwen Harman, Carmel
Catrin Hart, Aber-soch
Robert a Gwenda Healy, Gaerwen
Catrin Heledd ac Eilir, Morfa Nefyn
Nia Henson, Aberystwyth
Yvonne Howells, Trefor
David a Mair Hoyle, Maentwrog
Beti Eurfron Hughes, Llanaelhaearn (3 cyfrol)
Ceri Wyn Hughes, Aber-erch
Eluned Hughes, Cricieth
Eurwen W. Hughes, Dolwyddelan
Gwen Vaughan Hughes, Cricieth
Hugh ac Olwen Hughes, Stourbridge
Iestyn a Meinir Hughes, Llangybi (2 gyfrol)
John a Mattie Hughes, Llanberis
Mair Hughes ac Emyr Jones, Aber-soch
Margaret Hughes, Tal-y-sarn
Mary a Carol Hughes, Y Groeslon
Menna Hughes, Llanengan
N. W. Hughes, Dolwyddelan
Nan ac Evan Hughes, Rhuddlan
R. E. a J. Hughes, Nefyn
Robert Henry Hughes, Pencaenewydd
Siân Eleri Hughes, Caernarfon
Thomas a Margaret Hughes, Wellington
William Alun Hughes, Beddgelert

William Ifor Hughes, Pencaenewydd
William O. Hughes, Llithfaen
O. P. Huws, Nasareth
Hugh a Gwyneth Humphreys, Trefor
Islwyn Humphreys, Talwrn

Dafydd Ifans, Bangor
Dafydd Islwyn, Bargoed

Katie James, Pontllyfni
Marina a Brian Japheth, Trefor
Iona Jenkins, Llanrwst
Ann Jones, Llanbedrog
Ann Jones, Llanfairfechan
Ann Jones, Sarn
Ann a J. W. Jones, Talwrn
Anna E. Jones, Aber-soch
Annie Catherine Jones, Penrhyndeudraeth
Arfon Jones, Bryncir
Arwel Jones, Penisarwaun
Arwyn a Joyce Jones, Cricieth
Bet ac Elwyn Jones, Rhiwlas
Betty Jones, Pwllheli
Bethan a John G. Jones, Llanfairpwllgwyngyll
Buddug Jones, Caernarfon
Caren Jones, Trefor
C. M. Jones, Aberdaron
Catrin Jones, Bontnewydd
Catrin G. Jones, Llanbedrog
Cêt Jones, Trefor
Dafydd Glyn a Gwawr Jones, Bangor
Dafydd Rowland Jones, Reigate
Deborah Jones, Pen-y-groes
Diane ac Iwan Jones, Caernarfon
Dic a Margiad Jones, Rhuddlan
Dorothy Jones, Cwm-y-glo

Eirlys Ann Jones, Chwilog

Elias ac Eirlys Jones, Capel Uchaf

Elis ac Annwen Jones, Caernarfon

Elizabeth Jones, Pen-y-groes

Eluned Jones, Llanbedrog

Elwyn a Mair Jones, Caernarfon

Elwyn Pritchard Jones, Clynnog Fawr

Enid a Gruffydd Jones, Tal-y-sarn

Eurwen a Pryderi Llwyd Jones, Cricieth

Evie W. Jones, Dinas Dinlle

Flo a Gwynn Jones, Pontllyfni

Geraint Jones, Trefor

Glenda ac Emyr Jones, Llanrwst

Glenys Jones, Llanbedrog

Gruffydd Wyn Jones, Clynnog Fawr

Gwenllian Jones, Caernarfon

Gwyn ac Ann Jones, Llanllyfni

Gwyneth Jones, Trefor

Gwyneth a Gwilym Jones, Bwlchderwin (2 gyfrol)

Gwynne Morris Jones, Llaneilian

Gwynneth Jones, Tudweiliog

Harri Jones, Carmel

Heddwel Pierce Jones, Rhos-fawr

Hefin a Nesta Jones, Pant-glas

Helen Parry Jones, Rhydyclafdy

Hugh Jones, Nantlle

Huw John Jones, Pontllyfni

John Eurwyn Jones, Llanbedrog

John Glyn Jones, Y Groeslon

John M. a Siân Jones, Cricieth

John Wyn ac Elizabeth Jones, Clwt-y-bont

Katie Jones, Mynytho

Katie Jones, Pen-y-groes (5 cyfrol)

Lena Jones, Pwllheli

Lora Catrin Jones, Bodffordd

Llion Jones, Penrhosgarnedd

Mair Jones, Pen-y-groes (2 gyfrol)

Mair Jones, Pwllheli

Margaret a Rhys Jones, Caernarfon

Marian Jones, Caernarfon

Mary C. Jones, Trefor

Mary Wyn Jones, Pontllyfni

Megan a Robert Jones, Llandwrog

Menna a John P. Jones, Pontllyfni

Morgan Jones, Trefor

Nancy Jones, Bryncir

Nellie Jones, Penrhyndeudraeth

Nerys a Glyn Jones, Edern

Nora Jones, Pontllyfni

Noreen Arthur Jones, Penrhosgarnedd

Olwen Jones, Rhiw

Owen Vaughan a Mair Jones, Llanllyfni

Phoebe Jones, Trefor

Prydwen Jones, Y Groeslon

R. Emlyn Jones, Bontnewydd

Robert M. Jones, Llanrug (2 gyfrol)

Rhian Jones, Rhos-fawr

Sandra Jones, Penrhyndeudraeth

Sharron Jones, Clynnog Fawr

Sylvia Prys Jones, Waun-fawr

Tegwyn a Beti Jones, Bow Street

Wil a Beryl Jones, Nebo

Yvonne a Gwyn V. Jones, Trefor

Cai a Lyn Larsen, Caernarfon

Dewi Lewis, Penrhyndeudraeth

Elizabeth Lewis, Pen-y-groes

Gwyndaf a Janet Lewis, Capel Uchaf (2 gyfrol)

Dafydd a Margaret Lewis, Surrey

Laura Lewis, Penrhyndeudraeth (2 gyfrol)

Marian Parry Lewis. Pwllheli

Rhisiart Tomos Lewis, Llangybi

Lisabeth a Wenna, Nantlle

Lona Owen Lloyd, Chwilog

Mona Lloyd, Beddgelert

Llyfrgell Conwy (4 cyfrol)

Llyfrgell Gwynedd (4 cyfrol)

Llyfrgell Môn (4 cyfrol)

Emyr ac Eirys Llywelyn, Ffostrasol

Siân Llywelyn ac Aled, Bwlch y Cibau

Eirian Mali, Y Felinheli

Catherine Martin, Manceinion

Helga Martin, Ysbyty Ifan

Hilary McKee, Aberriw

Megan McVey, Hen Golwyn

Eirwen Lloyd Morgan, Penrhyndeudraeth

Gillian a Wil Morgan, Talsarnau

Catherine Morris, Llangïan

Frank a Wendy Morton, Swindon

Joan Olsen, Y Ffôr

Ann Owen, Cyffordd Llandudno

Beti Wyn Owen, Porthmadog

Betty W. Owen, Penrhyndeudraeth

Cai a Rebeca Owen, Capel Uchaf

Dan Owen, Nefyn (2 gyfrol)

Eleri Mai Owen, Capel Uchaf

Eluned Owen, Nasareth

Glenys Owen, Cricieth

Gwilym a Gwyneth Owen, Pren-teg

Hafwen Owen, Llanaelhaearn

Huw a Delyth Owen, Trefor

John Arfon a Pat Owen, Bethel

Marian Owen, Alicante, Sbaen

Owen E. Owen, Bethesda

R. J. Owen, Clynnog Fawr

Rhian a Rheon Owen, Clynnog Fawr

Rhianwen Owen, Pwllheli (2 gyfrol)

Seiriol a Beti Owen, Bethel (2 gyfrol)

Tecwyn Owen, Dolgellau

William Glyn Owen, Caernarfon

Ella Owens, Porthaethwy

Ian a Cath Parri, Llanystumdwy

Nefina Parri, Penrhyndeudraeth

Sophia Parri-Jones, Tai'n Lôn (2 gyfrol)

Arthur Wyn a Marina Parry, Y Groeslon

Delyth a Gwyn Parry, Pencaenewydd

Elizabeth a Robert Parry, Botwnnog

Helen Parry, Botwnnog

Richard a Rhian Parry, Botwnnog

Rhian Parry, Dolgellau

Rhian Parry, Y Ffôr

Mathew Penri, Llaniestyn

Mair Owen Pierce, Bethesda

Sianelen a Kelvin Pleming, Llithfaen

Nancy Price, Warminster

Alwyn ac Ann Pritchard, Pentreuchaf

Ann C. Povey, Nantlle

Beti a Margaret Pritchard, Y Ffôr

Curig Pritchard, Y Groeslon

Delyth a Gwyn Pritchard, Llandwrog

Edgar Pritchard, Rhos-meirch

Ellen, Edward ac Owen Pritchard,
    Garndolbenmaen

Emyr a Mair Eluned Pritchard, Pontllyfni

Falmai a John Pritchard, Llanberis

Gwyn W. Pritchard, Pwllheli

Helen ac Ifan Fôn Pritchard, Harlech

Sifian Pritchard, Pwllheli

C. Rice, Nefyn

Emlyn a Dora Richards, Cemais

Harri a Lowri Richards, Sarn

Aelwen a Reuben Roberts, Y Bontnewydd

Ann Roberts, Llithfaen

Buddug a Medi A. Roberts, Garndolbenmaen

C. Muriel Roberts, Mynytho

Doris Lloyd Roberts, Clynnog Fawr

Dorothy a Catherine Roberts, Gurn Goch (5 cyfrol)

Elinor O. Roberts, Garndolbenmaen

Elisabeth ac Elfed Roberts, Penrhyndeudraeth

Evan Shelton Roberts, Pen-y-groes

G. Richard Roberts, Clynnog Fawr

Gareth Roberts, Boduan

Glenys a John Roberts, Pontllyfni

Glyn Roberts, Tremadog

Goronwy T. Roberts, Nefyn

Gwen Roberts, Penrhyndeudraeth

Gwenno Roberts, Penrhyndeudraeth

Gwyn Roberts, Y Ffôr

Gwyndaf a Mair Roberts, Llanllyfni

Haf Roberts, Nantybenglog

Iona Roberts, Pen-y-groes

Jane Roberts, Llwyndyrys

Jane ac R. W. Roberts, Llannor

Jennie J. Roberts, Tanygrisiau

Jean E. Roberts, Trefor

Llinos Roberts, Trefor

Maggie Roberts, Clynnog Fawr

Mai Roberts, Aber-erch

Margaret Roberts, Penrhyndeudraeth

Margiad Roberts, Llangwnnadl

Marian Elias Roberts, Clynnog Fawr

Mary Roberts, Cheltenham

Mary Roberts, Trefor

Megan Roberts, Trefor

Meical Roberts, Llanllyfni

Menna a Gareth Ffowc Roberts, Bangor

Myfanwy Roberts, Rhos-lan

Nansi Roberts, Pontllyfni

Nia Roberts, Pen-y-groes

Richard Glyn a Janet Roberts, Aber-erch

Sarah Roberts, Pencaenewydd

Sue Roberts, Bethel

T. Glyn ac Ann Roberts, Gurn Goch

Tegid a Nant Roberts, Llanrug (2 gyfrol)

W. Arvon Roberts, Pwllheli

William Owen Roberts, Caerdydd

Ken Robinson, Minffordd

Bethan Rowlands, Clynnog Fawr

Eluned a John Rowlands, Dolydd

Arfon Rhys, Rhostryfan

Gwenan Sheret, Trefor (2 gyfrol)

Ann Shilvock, Sardis

Carol Smith, Llandwrog Uchaf

Helen Kalliope Smith, Pen-y-groes

Gwen Speers, Mochdre (3 cyfrol)

Miriam Startin, Cricieth

Arfon Thomas, Glasinfryn

Eileen Thomas, Penrhyndeudraeth

Elen Thomas, Edern

Glenys W. Thomas, Chwilog

Mair Thomas, Pen-y-groes

Morfudd Parri Thomas, Penrhyndeudraeth

Olwen Thomas, Tai'n Lôn

Richard Thomas, Llannor

Rhian Llewelyn Thomas, Rhiw

Anne Till, Waun-fawr (2 gyfrol)

Dei Tomos, Nant Peris

Christopher a Sioned Ward, Caerdydd
V. M. Wheldon-Roberts, Llanddoged
Ann Rhys Wiliam, Croesoswallt
A. M. Williams, Llithfaen (2 gyfrol)
Ann Ethall Williams, Rhosgadfan
Ann Pari Williams, Y Felinheli
B. C. Williams, Rhostryfan
Bertwyn Williams, Y Groeslon
Cen Williams, Llanfaelog
Ceren Williams, Caernarfon
Dewi ac Ilid Williams, Penmorfa
Dwynwen ac Albert Williams, Trefor
Edgar a Gwenda Parry Williams, Croesor
Eifiona Williams, Y Groeslon
Eleanor Williams, Rhos Isaf
Elfed Williams, Gellilydan
Elfyn Williams, Tai'n Lôn
Emlyn a Helen V. Williams, Cricieth
Gareth a Rhian Williams, Neigwl
Gareth Haulfryn a Dafina Williams, Dolydd
Geraint G. Williams, Rhyd-ddu
Grace a John Williams, Clynnog Fawr
Gwen Williams, Talsarnau
Gwyn Williams, Rhuthun
Helen a Keri Gwyndaf Williams, Y Ffôr

Howard ac Anne E. Williams, Capel Uchaf
Huw Williams, Bwlchtocyn
Huw Geraint Williams, Pontllyfni
Ieuan ac Ann Williams, Pontllyfni
J. Beryl Williams, Porthaethwy
John a Mary Williams, Beddgelert
John Dilwyn a Nerys Williams, Pen-y-groes
Mari Williams, Talsarnau
Marian a Richard Williams, Llwyndyrys
Mattie Williams, Pistyll
Megan Williams (Coedmor), Trefor
Megan Williams (Llwynaethnen), Trefor
Megan Ll. a Gwyn Williams, Cwmystradllyn
Menna Wyn Williams, Pen-y-groes
Nanette Williams, Mynytho
Nerys Williams, Aber-erch (3 cyfrol)
Raymond Williams, Padiham
Richard H. a Mair Williams, Trefor
Roberta Williams, Trefor
Robin Williams, Ynys Wyth
Robin R. ac Eirlys Williams, Y Bontnewydd
Thomas Williams, Dolbenmaen
W. O. ac Olwen Williams, Nant Gwynant
Wyn ac Ann Williams, Y Fron
Brenda Wright, Doncaster
Ieuan a Blodeuwedd Wyn, Bethesda